Conversations avec mon coiffeur

pour aimer la vie

Conception graphique de la couverture : Ann-Sophie Caouette
Illustration de la couverture : Shutterstock
Infographie : Michel Fleury

ISBN : 978-2-924720-27-1
Dépôt légal – Bibliothèque et Archives nationales du Québec, 2018
Dépôt légal – Bibliothèque et Archives Canada, 2018

Titre original : *Short cuts to happiness*
Traduit de l'anglais par Hélène Collon
© 2017 by Tal Ben-Shahar
© 2018, Pocket, un département d'Univers Poche, 2018, pour la
  traduction française
© Gallimard ltée – Édito, 2018 pour la présente édition

Imprimé au Québec

Tal ben-Shahar

Préface de Fabrice Midal

Conversations avec mon coiffeur

pour aimer la vie

édito

À tous les coiffeurs qui nous embellissent
au-dehors et au-dedans

Préface

Tal Ben-Shahar est la personne qui a su rendre accessibles à tous les avancées de la psychologie positive.

Mais qu'est-ce donc que la psychologie positive ? L'idée est toute simple. Pendant des années, les recherches en psychologie étaient presque exclusivement focalisées sur la façon de traiter les difficultés que rencontrent les gens : anxiété, dépression, psychose, dépendance... Quelques chercheurs se sont demandé : et si nous étudiions ce qui fait que nous allons bien ? Pourquoi réussissons-nous à surmonter certaines blessures ? Qu'est-ce qui nous rend plus heureux ? J'ai personnellement découvert la psychologie positive en lisant le manuscrit du premier livre de Tal Ben-Shahar, *L'apprentissage du bonheur*. J'ai su qu'il se passait dans ce livre quelque chose d'essentiel. Mon existence en a été profondément transformée.

Je ne sais pas ce qu'il en est pour vous, mais en ce qui me concerne, on n'a cessé de me dire, quand j'étais enfant, que, si je travaillais dur, plus tard je serais heureux. Tal Ben-Shahar montrait qu'au contraire, c'est en étant heureux que je peux réussir ! J'étais soufflé ! Aujourd'hui, le thème du bonheur au travail s'est imposé, en partie en raison des crises majeures qui ont secoué les entreprises. La découverte d'employés qui se suicidaient tant la pression qu'ils subissaient était avilissante a été un électrochoc. On a commencé à considérer que favoriser le bien-être du personnel n'était pas une idée superficielle, mais essentielle. Le travail de Tal Ben-Shahar a été alors perçu comme au cœur des enjeux sociaux propres à notre siècle. Quand j'ai lu ce livre, j'ai senti qu'il ouvrait une nouvelle ère. Je suis devenu son éditeur pour le monde francophone.

J'étais cependant assez nerveux quand je l'ai rencontré pour la première fois. Il faut dire que Tal Ben-Shahar est devenu célèbre en donnant un cours sur le bonheur à Harvard, et moi je commençais ma carrière d'éditeur. La première année, il avait huit élèves, et deux ont abandonné en cours de route. La seconde année, trois cents étudiants se sont inscrits. La troisième année, neuf cents étudiants ont suivi le cours qui est devenu le plus populaire de toute l'université.

Ce fut un choc ! Que se passait-il pour que les étudiants d'une aussi prestigieuse université cherchent à comprendre comment être heureux ? Ils sentaient bien que la question du bonheur était légitime et qu'ils manquaient de connaissances pour y parvenir. Ne sommes-nous pas comme eux ? Nous avons besoin d'apprendre à être heureux.

Je fus surpris en rencontrant Tal lors de sa venue à Paris. Je découvris un homme plein d'humour et capable d'autodérision. Tal m'a tout de suite expliqué que ce n'est pas parce qu'il s'interroge sur le bonheur qu'il ne vit pas des moments parfois difficiles, qu'il n'a pas de chagrins ou qu'il ne se fait pas « avoir » par son souci de perfectionnisme. Et c'est justement cela qui fait la force de son propos. Tal Ben-Shahar n'est pas une sorte de gourou qui sait tout, mais un chercheur honnête et intègre. Le bonheur dont il parle n'est pas ce bien-être béat que nous vendent les publicitaires, mais ce qui nous permet d'être de meilleurs êtres humains.

J'ai raconté le renversement de la psychologie positive sur l'étude de l'esprit humain : enfin on s'intéressait à ce qui favorise la paix, le bonheur, la confiance. Mais deux autres points expliquent l'importance, en tout cas à mes yeux, de cette nouvelle discipline.

Le premier est le souci de fonder tous conseils, affirmations et recommandations sur la raison. Fini le temps des affirmations péremptoires d'experts souvent autoproclamés. Chaque principe avancé repose sur des études rigoureuses et documentées.

Le second point est que les découvertes sont souvent surprenantes. La psychologie positive ne fait pas que redire des évidences.

Prenons un exemple qui m'a frappé. Vous recevez une prime conséquente. Vaut-il mieux acheter une voiture ou faire un beau voyage en famille ?

Avant de lire Tal Ben-Shahar, j'aurais répondu : l'achat d'une voiture — qui me semble plus responsable, car c'est un achat plus durable. Un voyage ne dure qu'un moment. J'aurais eu tort. Car en réalité, explique Tal Ben-Shahar, l'impact d'un voyage sur notre bien-être, en suscitant des souvenirs qui vont rester présents en nous, est très important.

J'ai du reste suivi le conseil de Tal. Quelques années plus tard, mon compagnon est tombé très malade. Et je me suis rendu compte qu'aux moments les plus difficiles qu'il a dû traverser, lorsque nous évoquions ensemble ce voyage, les moments heureux que nous avions alors vécus, cela lui donnait le courage d'aller de l'avant.

Je pourrais multiplier les exemples de ce que m'a apporté le travail de Tal Ben-Shahar.

Le problème avec la psychologie positive est qu'elle est trop souvent confondue avec la pensée positive. Il faut les distinguer strictement.

La pensée positive consiste à croire que, si je pense, visualise, rêve à des choses positives, j'ai plus de chances qu'elles adviennent. C'est une croyance. Mais l'Univers est-il vraiment un catalogue sur lequel nous pourrions commander tout ce qui est censé satisfaire nos désirs et nos caprices ?

La psychologie positive vise à comprendre d'un point de vue scientifique comment renforcer les émotions positives, celles qui nous permettent de devenir de meilleurs êtres humains, tout en éprouvant une plus grande joie de vivre.

Pour moi qui étais engagé dans la pratique de la méditation de pleine présence, j'ai trouvé que la psychologie positive était une alliée précieuse. Elle permet de comprendre pourquoi la pratique régulière de la méditation doit être favorisée partout, dans les écoles, les entreprises, les maisons de retraite, les hôpitaux... La méditation a d'abord été connue au travers de maîtres venus d'Orient. Nous avons été quelques-uns à chercher à la transmettre en l'intégrant complètement à notre mode de vie d'Occidentaux, sans aucune fascination pour l'Orient. Mais la lecture de la méditation par la psychologie positive a été un grand tournant. Non seulement des études montraient combien la méditation peut changer la vie des gens, mais la psychologie positive nous aidait à en comprendre les raisons.

Au fur et à mesure des années, nous avons poursuivi nos échanges avec Tal Ben-Shahar. À ma surprise, comme beaucoup de chercheurs de psychologie positive, il s'est tourné peu à peu vers la méditation. Elle lui est en effet apparue comme un moyen simple, à la portée de tous, de favoriser des émotions bénéfiques et de changer notre état d'esprit.

Un jour, Tal Ben-Shahar m'a parlé de son aventure avec son coiffeur et m'a donné à lire les premières pages de son livre. J'ai trouvé qu'il y avait là une magnifique introduction à la psychologie positive. Ce livre va en effet vous permettre de comprendre comment les recherches faites dans des laboratoires partout dans le monde peuvent, de manière très concrète, vous aider à prendre de meilleures décisions et favoriser la joie, la bienveillance et l'amour.

FABRICE MIDAL

Comment tout a commencé

C'était le 14 mars 2014. À cette époque, j'étais anxieux, je me posais de grandes questions existentielles ; bref, je traversais une période particulièrement difficile. Sortant d'une année d'enseignement intensif, j'éprouvais la sensation de vide qui suit souvent les périodes de fort investissement affectif. Je me demandais sur quoi embrayer, ce que je voulais faire de ma vie, si mes cours avaient un réel impact et, finalement, si tout cela avait une quelconque importance...

Pour ne rien arranger, je m'apprêtais à faire encore un long voyage en avion pour aller donner une conférence ; je ne pouvais m'empêcher de penser à Sisyphe parvenant au sommet de sa montagne pour se voir aussitôt contraint d'en regagner le pied pour la énième fois.

Avant d'embarquer, il fallait impérativement que je me fasse couper les cheveux ; je suis donc allé chez mon coiffeur, Avi Peretz. Tandis que j'attendais mon tour sur un canapé, j'ai entendu un client lui demander s'il avait décroché son brevet de pilotage. Une fois entre les mains d'Avi, je lui ai posé la question :

— Je ne savais pas que vous appreniez à piloter !

— Eh bien si. Je pensais trouver les réponses aux questions existentielles que je me posais. En fait, plein d'autres choses pourraient m'apporter ce qui me manque, mais j'ai compris que je ne cherchais pas au bon endroit.

— Et quelles sont ces choses, en fin de compte ?

— Ma foi, les petits riens que j'ai sous les yeux, ici même, a-t-il répondu en pointant vers le sol ses ciseaux, qu'il tenait de la main droite. Oui, ici même. Pas là-dehors, et encore moins dans les airs.

— Par exemple ?

— Eh bien, le quotidien. Passer du temps avec mes enfants, écouter de la musique, aller à la plage. Discuter avec mes clients, a-t-il ajouté en souriant.

En me remettant en mémoire le côté précieux du « quotidien », Avi m'a détourné de mes grandes interrogations et permis d'apprécier les petites solutions. En sortant de chez lui je me sentais beaucoup mieux, et ça ne m'a coûté que 70 *shekels* (la coupe était offerte).

Ce n'était pas la première fois qu'Avi avait un effet bénéfique sur moi, et je savais aussi que je n'étais pas le seul client dans ce cas. En rentrant à pied de son salon, j'ai résolu de rassembler les idées qu'il nous propose quotidiennement, pour pouvoir m'y reporter en cas de besoin et pour que d'autres gens – ceux qui n'ont pas la chance de l'avoir pour coiffeur – puissent profiter de sa sagacité.

Enfance difficile

Avi a grandi à Jaffa, une des plus anciennes villes d'Israël – donc du monde. De par sa position stratégique (sur la côte méditerranéenne, dont elle domine aussi bien le sud que le nord), elle a connu bien des combats mais aussi des périodes florissantes. Alexandre le Grand comme Napoléon Bonaparte en ont fait leur base opérationnelle. Mais des siècles avant ces conquérants, son port avait déjà accueilli les arbres que le roi David et son fils le roi Salomon firent venir pour édifier le premier temple.

Aujourd'hui, Jaffa est considérée comme faisant partie intégrante de Tel-Aviv ; c'est une métropole prospère où Juifs et Arabes vivent côte à côte et où d'antiques rues pavées jouxtent les gratte-ciel modernes. Mais quand Avi était petit, c'était une ville très pauvre où sévissait le trafic de drogue et où le taux de criminalité était très élevé.

Avi reconnaissait que son enfance n'avait pas été facile – il fallait se battre, tomber, prendre des coups

– mais que ces expériences l'avaient bien préparé à la vie.

— Vous comprenez, disait-il, quand on a connu ça et qu'on s'en est sorti, après on a moins peur de tenter sa chance. Je l'ai dévisagé. Ses traits hardis et burinés semblaient appuyer ses propos. Nous avons alors évoqué nos enfants qui, au contraire, vivant dans des quartiers privilégiés, n'étaient pas élevés à la dure ; pourtant, l'enfance d'Avi ne remontait pas si loin que ça dans le temps.

— Ne vous méprenez pas, a-t-il repris, je me réjouis que mes enfants grandissent en sécurité. Mais on les protège trop. Les difficultés matérielles, la bagarre, ça a son utilité.

Clay Christensen, professeur à Harvard, abonde dans son sens ; pour lui, les difficultés auxquelles les enfants doivent faire face ont une fonction non négligeable : « Elles les aident à affûter et développer les aptitudes qui leur seront nécessaires pour réussir tout au long de leur vie. Savoir se comporter vis-à-vis d'un enseignant avec qui on ne s'entend pas, ne pas être aussi performant qu'on voudrait dans tel ou tel sport, trouver sa place dans la structure sociale complexe que sont les différents groupes coexistant au sein des universités... toutes ces choses sont autant de leçons dispensées par l'école de l'expérience. »

Par bonheur, la vie nous réserve justement toutes sortes de complications, et même dans les quartiers privilégiés et les environnements très protégés, les occasions d'apprendre et d'évoluer ne manquent pas. Nous, parents, ne devons pas priver nos enfants – pas plus que nous-mêmes – de ces perches qui leur sont tendues.

*

Le lendemain, en repassant devant le salon, j'ai vu derrière la vitrine quelques amis qui attendaient leur tour sur le canapé d'Avi. J'ai décidé de me joindre à ce miniconseil de quartier. Vu l'exiguïté des lieux (moins de 40 mètres carrés en tout), il y avait foule et c'était assez bruyant ; pourtant, les gens m'ont paru calmes et sereins. Les conversations s'entrecroisaient, Avi orchestrait le tout en servant du café et en distribuant saluts et sourires.

Comme nos enfants fréquentent tous la même école, les discussions s'orientent souvent vers le dernier incident en date survenu dans l'établissement. Cette fois, c'était un papa qui protestait parce que sa fille était tenue à l'écart d'un groupe WhatsApp, ce dont elle ne se remettait pas. Une maman rétorquait que vu le contenu des groupes auxquels appartenaient ses enfants, elle aurait préféré qu'elle en soit exclue. Les échanges se sont mis à tourner autour de la politesse de base ; tous étaient d'accord pour dire qu'il est bien plus facile d'être insultant dans les conversations virtuelles.

Avi, qui, jusque-là, se contentait d'envelopper dans du papier d'aluminium les mèches d'une autre maman, est intervenu :

— Moi, je dis à mes enfants que chaque fois qu'ils font de la peine à quelqu'un, face à face ou derrière un écran, ils s'intoxiquent eux-mêmes.

Une pause le temps de séparer une nouvelle mèche pour l'envelopper d'aluminium, puis :

— Je leur dis aussi qu'il m'arrive de faire du mal aux autres, donc de m'empoisonner moi-même, mais que j'essaie constamment de m'améliorer.

Au milieu du brouhaha, tandis qu'autour de moi on multipliait les conseils parentaux, je me suis attardé sur ces propos. Il y avait largement de quoi méditer.

Premièrement, Avi apprend à ses enfants que rabaisser les autres a un prix : ça revient à absorber du poison. C'est, résumé en une phrase, le sujet d'innombrables ouvrages consacrés à l'existence, chez l'être humain, d'un sens moral inné : exception faite des psychopathes, nous payons un lourd tribut psychologique et affectif lorsque que nous nuisons à autrui.

Ensuite, il se pose en modèle aux yeux de ses enfants non pas comme idéal de perfection hors d'atteinte mais comme être humain qui se débat comme il peut mais demeure en constante évolution.

Pour s'améliorer, les enfants ont besoin de ce genre de modèle. Les adultes aussi.

Vacances

Deux ou trois fois par semaine, Avi renouvelle les fleurs qui ornent son salon, tout empli de leur arôme et de leur beauté.

— Elles sont magnifiques, lui ai-je dit un jour. Et elles sentent merveilleusement bon.

— Ce sont des lis blancs. Puisque, pour le moment, je ne peux pas aller en Thaïlande, je fais venir un bout de ce pays chez moi ! Il n'est pas toujours nécessaire de voyager loin pour profiter des plus beaux endroits de la Terre, ceux où on va en vacances.

Tout à coup j'ai compris pourquoi j'ai justement l'impression d'être en vacances chaque fois que je viens me faire couper les cheveux chez Avi. C'est une expérience qui fait appel à tous les sens, de celles qu'on associe généralement avec les séjours en pays inconnu. Mêlé au parfum des fleurs, le fumet du café frais incite la clientèle à savourer lentement le breuvage – et le reste. Le subtil massage crânien qui accompagne le shampooing complète admirablement le tableau tandis que, en fond sonore, le cliquetis incessant des ciseaux s'allie harmonieusement à la musique latino. Mais cette impression d'être en vacances a une autre raison d'être. Le mot vient du latin *vacuum*, «vide». Mais en hébreu cela se dit *hofesh*, qui a pour racine *hipus*, «chercher». Si l'on rapproche les deux, cela donne «lieu procurant l'espace nécessaire pour se livrer à une recherche». Même petit, le salon d'Avi semble spacieux : des fleurs et, autour, le strict nécessaire ; à partir de là, je peux lancer ma recherche.

En rentrant chez moi je me suis acheté des fleurs. Une fois les enfants couchés, j'ai écouté la musique d'Agustin Barrios, qu'Avi m'a fait connaître, j'ai fait le ménage dans ma chambre et je me suis préparé du thé de Chine. Et l'espace de quelques instants précieux, j'ai fait entrer chez moi un bout du monde. J'étais en vacances.

Le sens du toucher

— Qu'est-ce que vous lisez ? ai-je demandé à Avi lors de ma visite suivante, cette fois en compagnie de notre plus jeune enfant, Eliav, dont il fallait discipliner les boucles.

— Un livre qu'un client m'a offert. L'histoire d'un coiffeur grec qui décrit ses années de métier, ses rapports avec ses clients. Ça me plaît beaucoup, et je me sens concerné par un grand nombre des choses qu'il raconte.

— Par exemple ?

Il m'a alors expliqué qu'il sentait si les gens étaient rigides – psychologiquement parlant – en fonction de leur manière de réagir au toucher.

— Certains accompagnent mon geste, voire le devancent. D'autres ne bougent pas, c'est moi qui dois leur tourner la tête.

Un silence, puis il a ajouté avec un petit sourire que même les clients à la tête dure pouvaient se radoucir.

— Peu à peu, à mesure que je leur tourne la tête dans tous les sens, ils lâchent prise. Et j'ai noté quelque chose d'intéressant.

— Quoi donc ?

— À partir du moment où ils perdent leur raideur, où ils se laissent faire, ils se mettent à parler. La conversation peut s'amorcer en douceur. Comme si le corps, une fois qu'il a renoncé à résister, ordonnait à l'esprit de faire de même.

J'ai repensé aux recherches menées en Floride par le Pr Tiffany Fields sur les bienfaits physiques et psychologiques du toucher, que celui-ci prenne la forme de massages, d'accolades ou de caresses : il provoque la libération dans le sang d'opioïdes agissant sur la douleur et favorisant l'apaisement. L'ocytocine (surnommée « hormone de l'amour »), qui provoque une sensation de chaleur et de trouble, est justement libérée en cas de contact physique. Je me rappelle que mon grand-père nous passait sa grosse main dans le dos et sur les bras en nous disant qu'il « étalait de l'amour sur nous » …

En écoutant les paroles de « Show Me Love », la chanson de Sam Feldt qui passait en fond, je me suis dit que le monde serait meilleur si les gens se touchaient davantage. Malheureusement, notre civilisation « perd le contact avec le contact » physique, et renonce par là à une source de bonheur majeure qui est, littéralement, à portée de main. Ce qu'il y a de bien avec le toucher – consenti, naturellement – c'est qu'il marche dans les deux sens : qui touche est touché en retour, qui donne reçoit.

Et pour profiter de cet effet magique, nul besoin d'attendre la coupe de cheveux mensuelle.

Posture

Comme mes instituteurs d'antan, Avi m'intime de me tenir droit. Mais contrairement à eux, chez qui c'était un ordre, il s'agit d'une simple invitation à me redresser dans mon fauteuil. Donc je m'exécute et je relève la tête, comme quand je fais mon yoga. Et aussitôt je me sens mieux !

Quand mon fils aîné, David, est venu se faire couper les cheveux chez lui il y a quelques semaines, Avi lui a doucement relevé la tête en lui posant un doigt sous le menton. Je lui ai alors trouvé un profil altier, un profil de guerrier ou de roi bien digne de son prénom.

Cela m'a fait penser aux travaux d'Amy Cuddy, professeur à Harvard, dont j'avais pris récemment connaissance et qui démontrent que la posture a un impact sur le mental. Quand elle demande aux participants de s'asseoir ou de se tenir debout bien droits pendant deux minutes, ils se sentent plus forts, plus sûrs d'eux et plus calmes. Parallèlement, les membres d'un autre groupe reçoivent la consigne de s'avachir sur leur siège ou se tenir debout le dos rond et les bras ballants; ceux-là, au bout de deux minutes, se sentent affaiblis, en perte de confiance, angoissés.

La psychologie emboîte le pas à la physiologie; extérieur et intérieur sont intimement liés. Une poignée de main ferme est signe d'assurance, mais engendre aussi l'assurance chez qui la donne; une poignée de main molle a l'effet inverse. Même chose pour l'expression du visage: le sourire provoque des sentiments plaisants, un air renfrogné attriste l'interlocuteur. Le moine bouddhiste Thich Nhat Hanh écrit: «La joie peut-être à l'origine du sourire, mais parfois, c'est le sourire qui est à l'origine de la joie.» Avi accueille toujours ses clients en souriant, et, invariablement, on lui sourit en retour. Sa poignée de main est toujours ferme, elle exprime et transmet la confiance en soi.

Tandis que j'écris, en ce moment même, dans mon bureau, je laisse en quelque sorte sa petite phrase redresser ma posture, étirer mon cou et relever légèrement mon menton.

Générosité

Avi n'est pas grand amateur de soccer, mais comme son fils, un des meilleurs joueurs de l'école, s'est pris de passion pour ce sport, il a regardé la coupe du monde au Brésil. Cet intérêt par procuration m'a suffi pour lui communiquer mon enthousiasme après le match Ghana/Allemagne (score : 2 à 2).

— Un des plus beaux matches que j'aie vus de ma vie, ai-je annoncé tandis que je lui amenais ma fille Shirelle.

— Super, en effet.

Puis, revenant sur un terrain plus familier :

— Tal, vous voulez quelque chose à boire ? Shirelle, j'ai aussi des biscuits, tu en veux ?

Puis, désignant un plateau de fruits frais à la caisse :

— Servez-vous, ils sont excellents.

(Chaque fois qu'un client entre, pour se faire coiffer ou pour bavarder, Avi lui offre à boire ou à manger.)

Tandis que nous savourions, le téléphone a sonné. Avi a décroché et j'ai vite compris qu'il avait au bout du fil un ami en difficulté. Avant de raccrocher, il lui a dit :

— Mets-toi à côté du café, de l'autre côté du rond-point. J'ai deux clients qui attendent, mais je viendrai dès que j'aurai fini.

On était en milieu de journée, mais un ami avait besoin de son aide. Il était prêt à la lui apporter.

La nature charitable d'Avi contribue de manière significative à son bonheur ; je n'ai aucun doute à ce sujet. De multiples études en neurosciences montrent que les aires cérébrales du bonheur s'activent quand nous rendons service.

Avi a toujours été généreux – pour offrir à boire et à manger ou donner de son temps. Quelques semaines plus tôt, comme nous parlions succès commercial, il m'avait dit que pour lui, la générosité était le secret de l'abondance, matérielle et relationnelle.

Pour lui, l'une et l'autre – on pourrait parler aussi de temporel et de spirituel – forment un tout. Contrairement à Durkheim, Avi n'opère pas de nette distinction entre sacré et profane. Il réserve le même respect aux propos d'un ami évoquant ses problèmes personnels qu'aux paroles prononcées à la synagogue où il prie les jours de fête religieuse. En l'écoutant exposer sa position sur la générosité, j'avais l'impression d'entendre un rabbin s'adressant à sa congrégation. Il a achevé son sermon en s'exclamant :

— La cupidité coûte cher ! Quand on est trop gourmand on se retrouve souvent avec moins qu'avant – moins de réussite matérielle et moins d'amis.

Décidément, je me félicite de faire partie de son entourage, et peut-être même de ses amis.

Marketing en ligne et stratégies de vente

— Je monte une affaire, m'a déclaré Avi un beau jour. J'ai découvert un produit que j'ai décidé d'importer en Israël.

Il m'a montré une vidéo sur YouTube : la démonstration d'une coloration capillaire légère, qu'on pouvait appliquer fréquemment sans danger ni pour les cheveux ni pour le cuir chevelu.

— Ça ne contient pas les mêmes substances nocives que la plupart des autres teintures.

— Oui, ça a l'air très bien. Beaucoup de potentiel, ai-je approuvé avant d'ajouter : Je viens justement de rencontrer le P.-D.G. d'une société qui peut vous aider à concevoir votre marketing en ligne et appliquer les derniers outils de ciblage proposés par les moteurs de recherche pour identifier le bon segment.

Avi a marqué une pause avant de répondre d'un ton sagace :

— En fait, je vais employer une autre méthode pour faire connaître mon produit.

— C'est-à-dire?

— Je ne mets pas en doute l'efficacité des réseaux sociaux ni du réseautage, mais personnellement, dans les affaires, je privilégie l'approche traditionnelle.

— En quel sens?

— Je vais passer par les salons de coiffure; ça reste le meilleur endroit pour connaître et comprendre les besoins des clients.

Il y a plus de dix ans que je suis sorti diplômé d'une école de commerce, donc que je n'ai plus entendu de professeurs parler stratégie de vente. C'est Avi qui me dispense son enseignement, à présent:

— En affaires, je ne raisonne pas uniquement en termes de rentabilité. Naturellement, il faut faire des bénéfices, c'est important; mais ce n'est pas la seule chose qui compte à mes yeux. La satisfaction de mes clients, ainsi que la mienne, est une composante essentielle de toute bonne transaction.

Il m'a expliqué ensuite que dans les affaires comme dans la vie en général, il n'est intéressé ni par les informations superficielles glanées via les outils en question, ni par les « amis » virtuels et autres « j'aime » sans valeur des réseaux sociaux:

— Je préfère acquérir des connaissances en profondeur par l'intermédiaire de vraies rencontres.

Je me suis imaginé Avi « de l'autre côté du miroir », en quelque sorte, en train de déclamer devant un amphithéâtre un cours aussi passionné que déterminant sur la nécessaire humanisation des affaires. De l'importance de remplacer (ou au moins d'améliorer) les statistiques impersonnelles par les relations humaines. De l'opportunité de substituer à la segmentation de marché les rencontres en chair et en os. De nos jours, on associe la notion de « business » à des expressions telles que « tuer la concurrence », « compétitivité à tout prix », « avoir les dents longues » et autres métaphores morbides. Mais il est possible d'humaniser les affaires, d'y insuffler de la vie si, au lieu de ramener les êtres humains à une série de chiffres et de réseaux artificiels, on cherche à les comprendre réellement et à établir des connexions profondes avec eux.

Cette méthode n'est pas seulement plus humaine ; elle peut aussi s'avérer rentable. Des études menées par la société de sondages Gallup ont montré qu'un des meilleurs prédicteurs de réussite dans les affaires était la création de liens d'amitié sincères sur le lieu de travail. Aujourd'hui, ces liens se font de plus en plus rares, et le prix à payer est élevé – sur le plan non seulement psychologique mais aussi financier.

Je me suis représenté mentalement une pancarte sur la porte du salon de coiffure d'Avi : École de Commerce de l'Âme.

Prendre des décisions

Environ un mois après l'annonce du lancement de cette nouvelle entreprise, je suis passé au salon m'enquérir de son succès.

— Ça marche du tonnerre. On attend d'un jour à l'autre le feu vert du ministère de la Santé, et on a des rendez-vous toute la semaine avec des commerciaux.

— Dites donc, ça n'a pas traîné !

— Certaines choses avancent très vite, en effet, mais pas toutes...

— Lesquelles ?

Avi m'a expliqué qu'il prenait son temps pour certaines décisions : où commencer à distribuer son produit, combien d'employés embaucher, combien d'unités commander pour son premier lot. Puis, comme souvent, il a pris un exemple précis pour en tirer un principe général :

— Réagir vite, c'est bien, mais parfois, il faut savoir se poser. Il n'est pas toujours facile de patienter, ça a un certain coût ; mais c'est indispensable.

Ces paroles m'ont remis en mémoire ma deuxième année d'école de commerce, et plus particulièrement le cours de Joseph Badaracco sur la difficulté de choisir entre «deux bonnes décisions». Il arrive que, sur sa route, on se retrouve face à un embranchement, chaque chemin ayant ses mérites, chacun impliquant un certain nombre de renoncements. À partir de ses propres travaux, Badaracco observe que les grands dirigeants choisissent souvent de patienter, de «se poser», quitte à encourir l'inconfort de l'incertitude. Ce n'est pas une recette infaillible pour être sûr de prendre la bonne voie, mais parfois, le temps clarifie les perspectives.

Avi a conclu :

— Au fond, dans certains cas, je ne sais pas quelle décision prendre. Alors j'attends, soit d'en savoir assez, soit d'être au pied du mur.

Socrate disait être l'homme le plus sage d'Athènes parce qu'il «savait qu'il ne savait pas». Avi n'a jamais prétendu devant moi être l'homme le plus sage de Ramat HaSharon, où nous vivons. Mais voilà : parfois, il ne sait pas.

Avoir un phare

Je n'avais pas revu Avi depuis des semaines : fort occupé, j'avais beaucoup voyagé ; et quand je rentrais, je donnais des cours vingt-quatre heures sur vingt-quatre ou presque. Aussi, quand j'ai enfin trouvé le temps d'aller me faire couper les cheveux, un vendredi à neuf heures du matin, je suis parti à pied pour le salon, tout content à l'idée des réflexions que feraient naître en moi les propos d'Avi.

En arrivant devant la vitrine, je l'ai vu de l'autre côté qui me souriait. Je lui ai souri en retour et je suis entré. Le salon était noir de monde.

— Dites donc, ça ne chôme pas aujourd'hui, chez vous.

— C'est vrai ! Mais je devrais avoir un créneau vers 10 h 30.

— D'accord, je reviendrai à ce moment-là, ai-je acquiescé, déçu.

À l'heure dite, c'est le même sourire qui m'a accueilli. Karin, l'assistante d'Avi, m'a fait mon shampooing, puis j'ai pris place dans le fauteuil.

— Et si vous essayiez ma nouvelle coloration ? a proposé Avi.

— Non merci, je n'y tiens pas. Mes tempes grisonnantes me conviennent.

On a parlé un peu de ce fameux nouveau produit ; il rencontrait un beau succès : une vingtaine de salons l'utilisaient déjà.

— Mais vous savez, a précisé Avi, même si ça se met à marcher du tonnerre, je garderai toujours le salon. C'est mon phare, ici.

— Comment ça ?

— Disons que si la situation générale devient chaotique, je sais que je trouverai toujours de la stabilité ici. On a tous besoin d'un phare dans la vie.

Avi s'est tu et j'en ai profité pour méditer sur ses paroles.

— Vous voulez dire que c'est une sécurité financière ?

— Pas seulement. Ici, je me sens bien, avec les gens, au milieu des conversations ; je trouve confortables le côté prévisible et le calme relatif de l'ambiance au salon. Et j'ai beau m'aventurer dehors, m'activer çà et là, le phare continue de briller ; il me fait savoir que je ne dois pas trop m'en faire, que j'ai toujours la possibilité de rentrer au bercail.

Le psychologue D.W. Winnicott a observé que les enfants faisaient preuve de beaucoup plus de créativité quand ils jouaient à proximité immédiate de leur mère. Du moment qu'ils se trouvent à l'intérieur de ce qu'on pourrait appeler un cercle de créativité, ils peuvent prendre des risques, faire des expériences, tomber et se relever, échouer et réussir, parce qu'ils se sentent en sécurité auprès d'une personne qui leur voue un amour inconditionnel.

Grâce aux propos d'Avi, j'ai compris qu'une fois adulte, on peut aussi se créer le même genre de cercle... du moment qu'on a dans sa vie, comme lui, un « phare », un lieu de sécurité et de stabilité. Pour les uns ce sera la famille ou un ami rassurant, pour d'autres, une activité ritualisée comme la méditation ou le jardinage. Et pour certains, la lumière sécurisante luit derrière les vitrines bien propres d'un salon de coiffure.

Prendre son temps

En Israël, c'est la veille de Rosh Hashana (le Nouvel An juif) qu'il y a le plus de monde chez le coiffeur. Orthodoxe ou non, on apprécie d'être bien coiffé pour les fêtes. Comme je n'ai pas eu le temps cette année, j'y suis allé après ; à ma grande satisfaction, j'ai trouvé Avi trônant en solitaire dans son petit royaume. La ruée frénétique des jours précédents m'avait offert ce luxe rare : avoir Avi pour moi seul.

Autre luxe rare : un morceau de musique inconnu de moi qui me donne la chair de poule. Or, ce matin-là, quand j'ai entendu pour la première fois Gnarls Barkley chanter « Crazy », ma réaction physique a été instantanée. Quand la musique s'est tue et que j'ai enfin retrouvé ma voix, j'ai demandé à Avi d'où venait cette chanson.

— Elle tourne depuis des années. En entendant cette version lente ce matin à la radio, je l'ai aussitôt mise dans ma playlist. Elle est belle, hein ?

Puisque j'étais son seul client, il a proposé qu'on la remette, si bien que pendant quelques minutes nous avons réécouté la version soul de « Crazy » tous les deux sans rien dire. En voici le début : Je me souviens bien quand j'ai perdu la tête/C'était vraiment spécial* comme endroit/Même les émotions éveillent des échos tant il y a d'espace.

Quand on oublie un peu sa tête – son cerveau pensant –, on fait de la place pour l'âme, les émotions, qui peuvent alors s'épanouir. On ressent le monde sans intermédiaire, sans le filtre de la pensée. C'est ce que les bouddhistes appellent l'état de « non-esprit », la capacité – pas tout le temps, à certains moments seulement – d'être au monde sans se préoccuper ni du passé ni de l'avenir, en ne réagissant spontanément qu'à ce que l'on a devant soi.

Dans ce sens-là, quitter son propre esprit pour pénétrer en profondeur dans un « endroit » où on ne fait qu'être et ressentir est une démarche qui prend du temps. Pour réussir à prendre conscience de sa propre respiration, par exemple, ou à se perdre dans le regard de l'être aimé, à sortir flâner sans éprouver le besoin d'aller quelque part en particulier, ou tout simplement à écouter de la musique, il faut du temps.

---

* En réalité, le chanteur dit « *pleasant* » et non « *special* ». (*N.d.T.*)

Aristote
(ou : De l'amitié et de l'apprentissage)

Un jour, ma femme, Tami, a rencontré Avi à l'épicerie du coin ; elle lui a dit que je lui avais parlé de nos conversations.

— En effet, a-t-il répondu, mais nous n'avons pas le temps de parler vraiment.

Quand Tami m'a rapporté ces propos, j'y ai décelé une incitation à passer plus de temps dans son salon. Aussi, le lendemain, y suis-je allé faire un tour – sans avoir besoin d'une coupe.

Avi venait sans doute de faire une plaisanterie ou de raconter une histoire drôle car la dame assise sur le canapé et celle qu'il coiffait riaient toutes les deux. On bavardait et on s'esclaffait toujours beaucoup chez Avi, qu'il s'agisse du dernier épisode en date de « Eretz Nehederet » (une émission satirique) ou d'une anecdote personnelle narrée par le patron ou un de ses clients. Au bout d'une demi-heure, je me suis levé pour partir, non sans saluer Avi et lui dire que je m'étais bien amusé.

— Oui, on a bien ri. J'adore venir travailler ici tous les jours.

— Il y a une raison en particulier ?

— C'est bien simple : je sais que je vais retrouver des amis, et que j'apprendrai toujours quelque chose de nouveau en discutant avec eux.

Et il a raison, c'est aussi simple que ça ; pourtant, on oublie souvent la simplicité de cette sagesse-là. Pour Aristote, un des plus grands sages que la Terre ait portés, l'amitié et la contemplation étaient deux des conditions nécessaires au bonheur. L'être humain est un animal social, et un animal rationnel, qui a besoin de s'entourer et d'apprendre. Aristote a d'ailleurs fondé le « Lycée », où les hommes pouvaient cultiver l'amitié et se cultiver tout court.

Je me demande si l'on y riait autant que chez Avi...

Compliments

Eliav ayant à nouveau besoin d'une coupe de cheveux, je l'ai emmené chez Avi. Voyant qu'il y aurait un peu d'attente, je me suis réjoui – bonne excuse pour passer un peu de temps avec le maître des lieux! Le sujet de conversation du jour tournait autour du bien-fondé des compliments : Avi disait que certains de ses clients venaient chez lui depuis des années sans l'avoir jamais complimenté :

— Et pourtant, je sais qu'ils sont contents de leur coupe : ils votent avec leurs pieds puisqu'ils reviennent toujours. Heureusement, a-t-il ajouté, souriant, après une courte pause, il y en a qui n'hésitent pas à me couvrir d'éloges ; ça compense le silence des autres.

Une dame à la chevelure et au front maculés de teinture châtain foncé a déclaré qu'elle était mariée depuis trente ans et que son époux n'avait jamais cessé de la complimenter sur sa beauté.

— Il sait que c'est un bon calcul, a-t-elle ajouté avec

un sourire malicieux qui, l'espace d'un instant, lui a donné des airs d'adolescente.

Eliav, alors âgé de cinq ans, n'a pas compris ce qu'elle voulait dire, bien sûr; pourtant, il a souri quand même. Pendant les vingt minutes qui ont suivi, le temps que notre tour vienne, il est resté subjugué. Il observait tour à tour les personnes présentes, et même s'il restait extérieur à la conversation, on le sentait à l'aise. Beaucoup de choses sont dites et entendues, révélées et ressenties sous les propos réellement échangés, et les enfants en captent une grande partie – peut-être même plus que les adultes.

— Un des bons côtés de mon métier, a repris Avi, c'est que non seulement je donne belle allure aux gens, mais en plus, j'ai la possibilité de leur dire qu'ils sont beaux.

Un des plus éminents psychologues au monde, John Gottman, dit que le compliment est vital pour l'épanouissement des liens affectifs, aussi bien au sein du couple, entre parents et enfants, ou entre collègues de travail. Mark Twain a dit qu'un bon compliment « lui faisait deux mois ». C'est peut-être pour cela que les gens vont se faire couper les cheveux aussi souvent...

Amour

À l'issue de notre précédente rencontre, Avi m'avait donné des «devoirs» à faire à la maison.

— Vous devriez regarder un film appelé *What about Me?*. Ça va vous bouleverser.

J'ai regardé, et j'ai adoré. La musique, notamment, était géniale : issue des cinq continents, elle traduisait bien les divers messages du film. Quand j'ai revu Avi, je lui ai dit que j'avais suivi son conseil.

— Alors, qu'en avez-vous pensé ?

J'ai répondu qu'en effet, il m'avait bouleversé. Puis j'ai ajouté :

— Il faut qu'on parle, vous et moi.

Il a souri.

— Vous êtes un frère, a-t-il lâché, et je vous aime comme tel.

Dans ma vie, il y a très peu de gens à qui j'ai dit que je les aimais, et c'étaient tous des membres de ma famille ou des femmes que je fréquentais (depuis plusieurs mois). Et voilà que de but en blanc, mon coiffeur me faisait une grande déclaration! Pourtant, je n'étais pas son seul amour, je ne l'ignorais pas. Alors? Fallait-il y voir une dépréciation du mot? C'est ce que j'aurais pensé jusqu'à une date récente : avant, je jugeais ce genre de déclarations réservées aux relations privilégiées avec des personnes très proches. Mais tout à coup, je n'en étais plus si sûr. C'était peut-être Avi qui avait raison...

Je venais de lire *Love 2.0*, de Barbara Fredrickson, dans lequel l'auteure, cherchant une nouvelle définition de l'amour, développe la notion de « résonance positive » entre deux ou plusieurs personnes : selon elle, nous arborons les « symptômes » physiques de l'amour chaque fois que nous entrons en interaction positive réciproque avec autrui. Par exemple, on peut ressentir de l'amour dans les relations charnelles mais aussi quand on serre un ami dans ses bras, quand on échange un regard complice avec une personne de notre connaissance, ou même quand des gens qui ne se connaissent pourtant pas rient de concert quand il se produit quelque chose de drôle dans la rue.

Faire descendre l'amour de son piédestal, ce n'est ni le nier ni le dévaluer. Bien au contraire. Quand on est capable de reconnaître ces moments-là à leur juste valeur, on est plus susceptible de les provoquer. L'amour est tout autour de nous, on peut l'éprouver à chaque instant, dans chaque rencontre. Et le jour où Avi et moi nous sommes retrouvés autour de ce film, en échangeant ce regard, ce sourire de connivence, ce qui est passé entre nous était bel et bien de l'amour.

Désormais je me ferai un devoir d'exprimer mon amour – chaque fois que je l'éprouverai concrètement. On ne saurait contester les arguments de Barbara Fredrickson : c'est une des plus grandes spécialistes du thème de l'amour. Mais je crois qu'Avi entre également dans cette catégorie.

Le don

La fois suivante, j'ai demandé à Avi pourquoi il m'avait conseillé de regarder *What about Me*?. Il a répondu que pour lui, le film était plein d'idées puissantes : apprendre à vivre dans le présent au lieu de se projeter dans l'avenir, par exemple, et à apprécier la beauté du monde, ainsi de suite.

— Mais ce qui m'a touché, a-t-il ajouté, c'est l'idée de détourner son regard de soi-même pour le tourner vers autrui.

Pour lui, le film soulignait qu'à nous tous, nous formions un ensemble, et que tous nos actes étaient interconnectés.

— Si c'est vrai, si on fait tous partie de la même mosaïque, a-t-il conclu, alors il est logique de donner, donner toujours plus.

— Que voulez-vous dire ?

— Eh bien... si, par vos actes, vous faites du bien à quelqu'un, et si vous êtes connecté d'une manière ou d'une autre avec lui, c'est aussi à vous-même que vous rendez service. Tandis que si vous vous concentrez uniquement sur vous-même, et rien d'autre, vous n'impactez qu'une petite partie du tout; et même si vous vous en acquittez à la perfection, vous ne réalisez qu'une fraction de votre potentiel d'épanouissement.

Ça se tenait. Après tout, partout dans le monde le pourcentage de dépressifs augmente, et selon toute vraisemblance, il est directement proportionnel à l'égocentrisme ambiant.

— Tout de même, se concentrer sur soi, c'est important aussi, ai-je objecté.

— Oui, bien sûr. Moi aussi je fais partie de la mosaïque, donc je ne dois pas négliger ce que je suis. Le problème se pose quand on se focalise exclusivement – ou quasi exclusivement – sur soi-même. C'est là qu'on compromet son potentiel.

Autrement dit, le soi n'est qu'une petite part du gâteau que représente le bien-être général. 100 % pas grand-chose, ça reste pas grand-chose. En focalisant aussi son attention sur les autres, en donnant généreusement, j'améliore la totalité du gâteau dont je fais partie.

L'idée que nos destins sont intrinsèquement liés a actuellement la faveur de multiples travaux de recherche sur les bienfaits du don. Un des meilleurs moyens de recevoir – du bonheur, ou un regard valorisant sur soi, ce genre de choses positives – de la part des autres, c'est de savoir « donner ».

Avi et moi avons ensuite évoqué la racine du verbe « donner » en hébreu, *natan*; on voit que c'est un palindrome, un mot qui se lit de la même manière de droite à gauche et de gauche à droite ; or le don, lui aussi, fonctionne dans les deux sens : quand je donne, je reçois en retour – et souvent plus que je n'ai donné.

Cela m'a rappelé une citation de *The Power of Nice*, un livre de Linda Kaplan et Robin Koval qui tend à démontrer que les gens gentils réussissent mieux que les autres : « Le plus beau, quand on s'intéresse aux autres, c'est qu'on se détourne de ses propres soucis, ses propres angoisses. Et ça coûte beaucoup moins cher qu'une psychothérapie ! »

J'ai réglé à Avi le prix de ma coupe de cheveux et je suis allé chercher mes enfants à l'école.

Le silence

Parfois, nous restons silencieux. On n'entend plus alors que le cliquetis des ciseaux dans les cheveux et autour des têtes, le bourdonnement de la tondeuse dégageant les oreilles avec une précision surhumaine, et le petit crépitement du rasoir entre des mains compétentes et attentives qui ne laissent dans leur sillage qu'une peau bien lisse. C'est Mozart, je crois, qui a dit que le silence entre les notes était encore de la musique.

Le vide n'est pas dépourvu de beauté ; et le silence peut être source d'épanouissement.

Élever des enfants

En général, je débarquais chez Avi sans questionne-
ment ni sujet de conversation préalables ; je laissais juste
la discussion évoluer d'elle-même. Cette fois-là, en
revanche, j'avais une idée derrière la tête. Je voulais son
opinion sur ce qui est pour moi la facette la plus exigeante
de ma vie : l'éducation de mes enfants. J'ai commencé par
dire que j'avais beau les aimer au-delà du dicible, j'étais
régulièrement épuisé par tout ce que cela impliquait :

— Ça n'en finit pas ! ai-je conclu, impatient d'entendre sa réaction.

— Je vais vous dire comment je m'y prends, moi,
a-t-il commencé en souriant. J'exige des tête-à-tête.

— Vous êtes sérieux ?

— Mais oui. Tu comprends, ils consacrent beaucoup
de temps aux activités extrascolaires et à leurs copains.
Alors comme ça, ils comprennent qu'ils doivent aussi en
passer un peu avec leur papa.

De prime abord, l'emploi du verbe exiger m'a paru un
peu excessif ; mais en réfléchissant, j'ai fini par trouver ça

logique – tant pour le parent que pour l'enfant. Du point de vue du premier, le tête-à-tête peut être source de grandes joies qui compensent les corvées parentales ; à comparer avec, d'une part, se gaver de nourriture juste parce qu'on doit manger et, d'autre part, savourer son repas une bouchée après l'autre parce qu'on a choisi de manger. Quant à l'enfant, au-delà du plaisir de passer du temps avec son père ou sa mère, il est tout content de lui parce que, justement, il est source de joie pour ses parents.

Ensuite, Avi m'a expliqué que bien des gens accablés par les tâches parentales tentaient de récupérer en prenant du champ par rapport à leur progéniture. Il trouvait ça nécessaire, évidemment, mais pour lui, il fallait aussi que cette récupération fasse partie intégrante de la relation parent-enfant.

— On se dépense sans compter pour nos enfants... Mais il ne faut pas oublier de faire aussi des choses pour nous-mêmes, et d'inclure ces moments-là dans le cadre de notre rapport à eux. Par exemple, quand je suis avec mon fils ou ma fille, on prend le temps de bavarder, de plaisanter. Et au lieu de m'épuiser, ça recharge mes batteries.

Le psychologue et prix Nobel Daniel Kahneman rapporte, au fil de ses travaux, qu'en comparaison à d'autres activités, la plupart des parents ne profitent pas du temps passé avec leurs enfants, notamment parce qu'ils sont simultanément accaparés par d'autres tâches et que cette division de l'attention est plus fatigante que stimulante.

Le tête-à-tête peut nous remettre en mémoire qu'élever des enfants ne comporte pas que des devoirs, mais aussi des relations interpersonnelles qui sont source de bonheur. Après quoi on ne devient pas seulement un parent plus heureux, mais aussi un meilleur parent.

Une semaine plus tard, comme je faisais une course en ville, j'ai aperçu au loin Avi et sa fille qui marchaient main dans la main. Tous deux affichaient un grand sourire.

Le rasoir d'Avi

Tami, ma femme, est la seule personne au monde à connaître le sujet de ce livre. Pour le moment, je ne veux pas qu'Avi soit au courant, de peur qu'il se sente gêné et perde de son aisance, de sa spontanéité. Naturellement, je lui demanderai son autorisation avant de le publier, mais pas avant d'avoir assez de matériau pour un ouvrage court. En effet, je sens depuis le début que pour rester fidèles à la parole d'Avi, les chapitres et le livre lui-même doivent être brefs : *less is more*, « moins il y en a, mieux c'est », tel est le principe qui régit sa vie.

Aujourd'hui, il m'a accueilli avec le sourire. Le bruit du sèche-cheveux empêchait les conversations, mais elles ont resurgi dès qu'il s'est tu. La dame dont on s'occupait a manifestement repris son propos où elle l'avait laissé :

— Moi, je veux que mes enfants aient tout ce qui m'a manqué quand j'étais petite.

Avi a continué à la coiffer en inspectant le résultat au fur et à mesure dans la glace et en ajoutant un tapotement ou un petit coup de brosse par-ci, par-là.

Puis il a commenté d'un ton neutre, sans paraître porter le moindre jugement :

— On est généralement plein de bonnes intentions quand on tient à satisfaire tous les besoins et toutes les envies de ses enfants. Mais au-delà du strict nécessaire, je crois que plus on leur en donne, moins ils en font pour s'en sortir par eux-mêmes.

J'ai tout de suite pensé à cette grande penseuse de l'éducation qu'est Maria Montessori, qui recommandait aux parents de ne pas faire à la place de leurs enfants ce qu'ils étaient capables de faire eux-mêmes. Autrement dit, avec les enfants, il convient d'en faire aussi peu que possible et autant que nécessaire. Si ma fille sait nouer ses lacets seule, je dois la laisser faire – sauf si je suis très très pressé. Si mon fils sait préparer tout ou partie de son repas, là aussi, il faut que je le laisse tranquille, le plus possible, en ne l'aidant que si c'est absolument indispensable. C'est ainsi qu'avec le temps, les enfants prennent confiance en eux et deviennent indépendants.

Les conceptions de Maria Montessori sont une variante de ce qu'on appelle en philosophie le principe du Rasoir d'Ockham. Pour Guillaume d'Ockham, penseur anglais du xiiie siècle, en matière de logique « il ne faut pas multiplier les entités sans nécessité ». Le Rasoir d'Avi, lui, s'applique à ces deux notions de possibilité et de nécessité.

Cerise sur le gâteau, quelques minutes après cet échange, ce rasoir laissait mon menton et mes joues aussi doux que possible, ayant ôté tous les poils qui n'étaient pas strictement nécessaires.

Apprendre toute sa vie durant

Il était six heures du soir et j'étais le dernier client. Karin étant déjà partie, c'est Avi qui m'a fait mon shampooing avant de me conduire à mon fauteuil. Comme on pouvait s'y attendre, il était épuisé : il travaillait – debout – depuis près de dix heures. J'ai fini par rompre le silence.

— La journée a été longue ?

— Vous pouvez le dire.

— Donc, souper, télé et au lit de bonne heure ?

— Oh non ! Il faut que je ferme avant six heures et demie pour être à l'heure en cours.

— Ah bon ?

— Oui, depuis un mois je prends des cours d'anglais des affaires. J'ai un examen partiel en fin de semaine et je ne suis pas prêt du tout. J'en suis au niveau 11, et j'espère atteindre le 30 à la fin de l'année.

Avec Avi, j'allais de surprise en surprise ; pourtant, je n'aurais pas dû : son insatiable appétit de savoir, son souci de s'améliorer et d'évoluer constamment était le secret, tout simple, de sa sagesse. Comme dit Nancy Merz Nordstrom: «Apprendre tout au long de sa vie c'est [...] développer pleinement la sagesse qui vient normalement avec l'âge*.»

Il est clair qu'Avi aimait apprendre pour apprendre, mais en même temps, le savoir qu'il acquérait était éminemment pratique. Un des conseils qui revenaient le plus souvent dans sa bouche était : «Si vous ne contrôlez pas la situation, c'est la situation qui vous contrôlera.» Et vu que de nos jours, la seule constante est... le changement, et qu'on est donc souvent confronté à des situations à la fois nouvelles et complexes, si on veut faire face – et non être «contrôlé par la situation» –, il faut s'exposer constamment à des idées et des façons de penser également nouvelles et complexes.

L'apprentissage au long cours a d'autres effets bénéfiques, de l'amélioration des fonctions cognitives (le cerveau reste alerte) à celle des relations interpersonnelles (cela fait de nous des gens intéressants et qui s'intéressent!). Apprendre beaucoup contribue donc à notre bien-être physique et psychologique; cela nous rend plus heureux en donnant du sens à la vie, et plus sains de corps et d'esprit parce que s'attacher à apprendre, c'est rester investi.

En tant qu'universitaire, je suis en permanence entouré de gens très savants, qui ont consacré leur vie à l'étude. Mais Avi a ceci d'unique qu'il s'abreuve à des sources de savoir très diverses. Pour lui, tout est bon à

---

* N.M. Nordstrom, *Learning Later, Living Greater: The Secret for Making the Most of Your After-50 Years.*

(ap) prendre, d'une expérience qu'il a faite à un livre qu'il a lu, et tout le monde peut lui apporter quelque chose, que ce soit son prof d'anglais ou ses clients. Et même les chansons à la radio.

— Je ne vous ai pas encore administré votre dose quotidienne de musique, m'a-t-il d'ailleurs fait remarquer tandis que sur la pendule, la petite aiguille se rapprochait dangereusement de la grande. Vous connaissez «Strong», de London Grammar? J'écoute mieux après l'avoir entendue.

On était en hiver : le soleil était couché depuis un bon moment. Je me suis représenté mentalement le salon de coiffure sous la forme d'une luciole ou d'un rai de lumière suspendus dans l'obscurité. La voix d'Hannah Reid a retenti dans le silence, j'ai fermé les yeux et je me suis ouvert à son message : « If a lion, a lion roars, would you not listen ?* »

---

* «Si un lion, un lion rugit, ne vas-tu pas l'écouter ?»

Maîtriser sa colère

On a beaucoup écrit sur le tempérament méditerranéen – il serait passionné, excessif, impatient, exalté... Nous serions aussi prompts à nous mettre en colère qu'à tomber amoureux. Est-ce le climat, les gènes, une substance dans l'eau, les légumes, le hoummous ? Quoi qu'il en soit, les effets sont bien visibles. Chez nous, on klaxonne, on crie, on fait de grands gestes et on prend des expressions théâtrales.

Le monde extérieur s'insinue jusque dans l'antre d'Avi, issues fermées et climatisation branchée. Le son y entre par chaque fissure, et les réactions affectives par la porte d'entrée. Aujourd'hui, par exemple, aussitôt arrivée une dame entre deux âges s'est assise sur le canapé et a entrepris de vilipender la vendeuse « malpolie/vulgaire/idiote » à qui elle avait eu affaire dans un magasin de chaussures.

Quand elle a eu fini (et ça a pris un moment), Avi a pris la parole :

— Personnellement, je m'emporte très facilement, mais je vais vous donner un «truc» que m'a appris un ami pour maîtriser ma colère.

Sur quoi il nous a décrit une scène qui se passe dans un parc de stationnement. Vous êtes en retard à votre rendez-vous et il y a un bon moment que vous tournez en rond en cherchant une place. Finalement, vous voyez une personne entrer à pied dans le parking et vous la suivez jusqu'à sa voiture. Vous attendez patiemment qu'elle s'en aille pour pouvoir prendre sa place, mais au moment où vous redémarrez, un gros 4 x 4 surgit et vous grille la politesse.

— Pour moi, ça justifierait un duel, a commenté Avi, ou au moins une bonne engueulade.

Comme la dame qui revenait du magasin de chaussures et moi-même approuvions d'un hochement de tête, Avi a poursuivi:

— Mais je sais aussi – enfin, pas sur le moment, mais rétrospectivement, disons – que si je fais un scandale pour une place de stationnement, je vais me faire du mal, même si je gagne, même si j'ai le dernier mot. Parce que la colère a le chic pour nous ronger de l'intérieur.

— Qu'est-ce que vous faites, alors? a demandé la dame.

— J'imagine une vache à la place du 4 x 4!

Elle a ri et Avi a répliqué:

— Votre réaction me donne raison. Si une vache vous piquait la place, vous éclateriez de rire, au lieu de chercher la bagarre. Donc, autant vous servir de votre imagination – vous vous éviterez d'être de mauvaise humeur pour le reste de la journée. On a intérêt à mieux choisir ses combats ; il est parfois justifié de se mettre en colère ou d'être tout retourné, mais souvent – la plupart du temps, en fait – ça n'en vaut tout simplement pas la peine.

En psychologie, de nombreuses études portent sur ce qu'on appelle la « substitution affective » : le remplacement de la colère par la compassion ou du stress par l'enthousiasme. Par exemple, les travaux de Joe Tomaka ont pu aider les étudiants souffrant d'une angoisse disproportionnée au moment des examens en leur présentant les épreuves comme un défi à relever et non comme une menace ; ils se montraient alors plus sereins, plus créatifs, et obtenaient de meilleurs résultats. Remplacer un mot ou une image par d'autres (« menace » / « défi », 4 x 4 maléfique/vache sacrée) peut nous aider à transposer une scène dans un contexte différent et donc y réagir d'une tout autre manière.

Aujourd'hui, les « devoirs » qu'Avi m'a donnés à faire à la maison consistent à trouver un jeu d'images mentales toutes prêtes qui puissent me servir en cas de coup dur. L'une d'entre elles représente un ami sagace qui me rappelle de toujours recontextualiser...

Gérer la douleur

Aujourd'hui, je suis passé devant le salon en allant faire des courses. Avi et moi avons échangé un salut de la main, et il m'a semblé que quelque chose n'allait pas. Comme il était occupé à coiffer quelqu'un, j'ai décidé de m'arrêter en rentrant de l'épicerie. Le trouvant seul, je suis entré.

— Qu'est-ce qui se passe ?

— Je suis un peu triste, mais ça passera comme le reste, a-t-il répondu en souriant.

— Il est arrivé quelque chose ?

— J'ai parlé à un client de ma nouvelle entreprise, et tout ce qu'il a trouvé à me dire c'est que j'allais être lourdement handicapé par le fait que je ne parle pas assez bien anglais. Figurez-vous que je suis au courant ! C'est même pour ça que je prends des cours. Mais sa façon de le dire m'a blessé – il s'est montré condescendant, voire méprisant.

Nous sommes restés un moment silencieux. On n'entendait même pas le bruit des ciseaux ; juste le léger

bruit de la climatisation concurrençant le vrombisse-
ment lointain de l'autoroute.

— Quand quelqu'un me fait du mal, a enfin repris
Avi, d'abord, je prends le temps d'éprouver pleinement
ce que je ressens. Dans vos bouquins et dans vos cours,
vous dites bien qu'il faut s'autoriser à être humain, non?
J'ai acquiescé.

— Eh bien, avec cet ami j'ai fait ce que je fais souvent
dans ces cas-là : je l'ai serré dans mes bras, a-t-il achevé
en me regardant, hilare.

— Ah bon? Mais pourquoi?

— Parce qu'il en avait besoin. Ceux qui blessent les
autres sont généralement des gens qui souffrent eux-
mêmes. Qui ont désespérément besoin d'affection. Alors
je leur en donne.

Une étude cruelle démontre que la première réaction
d'un animal à qui on fait du mal, par exemple en lui admi-
nistrant un choc électrique, est d'agresser l'animal le plus
proche de lui. Instinctivement, sous le coup de la douleur,
les humains aussi s'en prennent à leur entourage.

La plupart du temps, si on fait souffrir les autres
c'est par réaction machinale, irréfléchie, à sa propre souffrance. Et malheureusement, chez les animaux comme
chez les humains, cette souffrance s'aggrave et monte
en flèche à mesure que chaque être agressé réagit aux
mauvais traitements qui lui sont infligés. Ce qui explique
les conflits interpersonnels – et internationaux – quand
un désaccord mineur, une chamaillerie sans importance
échappent à tout contrôle.

Avi n'est pas un pacifiste, je le sais ; mais il n'est pas non pour plus le conflit, sauf si c'est absolument nécessaire. En serrant dans ses bras la personne qui l'avait blessé, Avi a choisi de stopper net l'escalade potentielle et donc la souffrance inutile.

Avi pense que l'être humain est naturellement bon, et que dans bien des cas les comportements agressifs signalent une souffrance. Ceux qui font souvent du mal aux autres ont plus que tout besoin d'une accolade affectueuse ; ainsi ils cesseront de nuire aux autres... et à eux-mêmes.

Partager

Le salon d'Avi est tout près de l'épicerie du quartier, si bien que je m'arrête souvent au retour, histoire de bavarder un peu. Lors d'une de ces petites visites, il y a quelques semaines, et comme je m'apprêtais à prendre congé, un de nos voisins est arrivé, manifestement lessivé et dans tous ses états. J'ai compris qu'il n'avait pu être à l'heure à son rendez-vous.

— Je n'ai pas arrêté de la journée, a-t-il déclaré. Demain même heure?

— Pas de problème, a répondu Avi. Vous voulez un café?

— Non merci. Pas le temps.

Je pensais qu'ils allaient en rester là, mais Avi ne l'entendait pas de cette oreille.

— Vous êtes sûr? J'allais justement m'en faire un.

L'autre a marqué un temps d'arrêt – sans doute le premier de la journée – puis :

— OK, juste cinq minutes, alors.

Aujourd'hui j'ai à nouveau fait un saut chez Avi, et je me suis rappelé un de nos échanges, un jour où il me faisait part de sa « philosophie du café » :

— Comme vous le savez, je propose toujours du café à mes clients quand ils arrivent. Mais quand c'est possible (et parfois, c'est même indispensable), je ne me contente pas d'en offrir : je le partage.

J'ai dû avoir l'air un peu surpris car il a expliqué :

— Certaines personnes se contentent très bien de prendre ce qu'on leur donne. Mais d'autres, pour une raison ou pour une autre, ne savent pas recevoir – trop occupées, trop meurtries par la vie ou je ne sais quoi ; en revanche, ces gens-là peuvent partager, se rallier à quelque chose d'existant.

Dans le même ordre d'idée, Roy Baumeister, expert de renommée mondiale dans le domaine de la psychologie sociale, a bien décrit ce besoin de trouver sa place – le besoin fondamental et inné, chez l'être humain, de former des liens interpersonnels, d'entretenir des attachements, de faire partie d'une communauté d'intérêts.

Quelque quatre cents ans plus tôt, le poète anglais John Donne remarquait déjà qu' « aucun homme n'est une île, un tout, complet en soi ; tout homme est un fragment du continent, une partie de l'ensemble ». Ce que nous désirons, ce dont nous éprouvons l'impérieuse nécessité, c'est d'être intégré, accepté en tant qu'élément indissociable.

Partager, faire partie, est une forme supérieure de don. Quand nous partageons avec quelqu'un une tasse de café ou un peu de temps, quand nous lui prodiguons un conseil, nous lui signifions en quelque sorte que nous sommes dans le même bateau. Nous lui faisons sentir – et nous nous confirmons à nous-mêmes – que nous ne sommes pas seuls.

Louanges

Le fils d'Avi est arrivé pendant que Karin me faisait mon shampooing – ou plutôt, pendant que ses mains expertes me préparaient au rituel de la coupe.

— Avi est un excellent père, a-t-elle commenté. Il sait parler à ses enfants.

En attendant mon tour, j'ai observé le coiffeur et son fils dans le miroir. Le premier aidait le second à préparer son examen de géographie, et ils récitaient ensemble la liste des villes côtières d'Israël, en commençant par Ashkelon, au sud. Quand l'enfant est parvenu à Nahariya, tout au nord, Avi l'a félicité :

— Je suis fier de toi parce que tu as bien écouté en classe et bien préparé ton examen.

Chaque fois qu'il fait des compliments à ses enfants – par rapport à leur réussite scolaire ou parce qu'ils ont bien joué au soccer –, il met davantage l'accent sur l'effort fourni que sur le talent.

— Je récompense Agam pour le chemin parcouru, et non parce qu'il est arrivé à destination.

Beaucoup de gens croient, comme je l'ai cru pendant des années, qu'on doit dire aux enfants qu'ils sont intelligents, beaux, doués... car cela booste l'estime qu'ils ont d'eux-mêmes et leur garantit de réussir plus tard, d'être heureux... Pourtant ces louanges leur nuisent plus qu'autre chose.

Carol Dweck, psychologue à l'université de Stanford, a eu l'idée de répartir aléatoirement en deux groupes cinq étudiants de troisième cycle et de poser à chacun dix questions assez difficiles, mais qui tenaient compte de leur âge; ils y ont répondu correctement. Sur ce, l'un des deux groupes s'est vu féliciter pour son intelligence (par des phrases du type « Bravo, vous êtes brillants »), et l'autre pour l'effort fourni (« Bravo, vous avez bien travaillé »).

Dans un deuxième temps, les participants devaient choisir entre deux possibilités : subir soit une nouvelle épreuve difficile, mais dont ils tireraient des enseignements, soit une épreuve beaucoup plus facile. La majorité des étudiants du groupe 1, qu'on avait complimentés pour leur intelligence, ont opté pour la seconde solution. Au contraire, 90 % des membres du groupe 2, loués pour avoir fait de leur mieux, ont choisi d'affronter à nouveau la difficulté.

Pour finir, les deux groupes ont été soumis à une épreuve trop difficile pour eux. Les « intelligents » ont échoué et mal vécu la chose, alors que les « travailleurs » y ont pris plaisir et en ont tiré des leçons. Carol Dweck écrit : « Quand on loue l'intelligence des jeunes et qu'ils rencontrent l'échec par la suite, ils croient qu'ils sont devenus bêtes et perdent tout intérêt pour l'étude. Tandis que si on les félicite parce qu'ils se sont donné du mal, ils traversent l'épreuve sans dommage et peuvent même montrer plus d'assurance face aux difficultés.»

Curieusement, quand elle leur a fait passer à tous une ultime épreuve du même niveau de complexité que la première, les «intelligents» ont obtenu des résultats nettement inférieurs aux «travailleurs».

Avi n'a pas connaissance de cette expérience, mais sait intuitivement féliciter les enfants de manière à les encourager à affronter de nouveaux défis. J'aimerais pouvoir en dire autant... mais je suis donc obligé de me rafraîchir la mémoire en permanence par la lecture des travaux des autres – et par de fréquentes coupes de cheveux.

Les liens satisfaisants

Dans un monde où la plupart des gens n'ont pas les moyens (en termes de temps et d'argent) de faire une psychanalyse, les coiffeurs incarnent souvent une solution de rechange, moins coûteuse sur les deux plans. Il y a bien sûr des différences majeures entre les deux profils, mais on relève aussi des similitudes frappantes. Tous deux prennent place derrière leur client/patient; il n'y a pas de sujet de discussion prédéfini; l'association libre a le beau rôle... et une fois qu'on a trouvé le bon analyste ou le bon coiffeur, ça peut durer des années.

Avi n'a ni barbe ni cigare et est d'origine plus marocaine qu'autrichienne, mais ses propos me rappellent souvent Freud. Comme lui, il reconnaît l'importance du travail et de l'amour, et c'est en général autour de ces deux sujets que tournent nos conversations. Mais là où le père de la psychanalyse privilégiait nettement le travail, ce dont sa vie sentimentale eut d'ailleurs à pâtir, Avi tient absolument à trouver le bon équilibre entre les deux.

Un après-midi, comme j'avais sérieusement besoin d'une coupe de cheveux, j'ai trouvé porte close. J'avais oublié qu'on était mardi, jour de la fermeture hebdomadaire. Le lendemain, en patientant sur son canapé avec en fond « No habra nadie en el mundo » chanté par Buika, je lui ai demandé ce qu'il avait fait la veille.

— J'ai passé l'après-midi en famille, sans rien faire de particulier. Si les gens s'investissaient autant dans leur vie personnelle que dans leur travail, leurs relations avec les autres prendraient une tout autre allure. Et ils vivraient bien mieux.

Il ne faut pas s'étonner que le nombre de divorces atteigne des sommets inégalés, et qu'au bout de quelques années les couples ne s'aiment plus comme ils l'espéraient en s'épousant. Pas surprenant non plus que les autres attaches familiales se dénouent. Avi a rappelé qu'entre l'univers du travail et celui des relations amoureuses régnait le « deux poids, deux mesures ».

— Quand ils ont trouvé le poste dont ils rêvaient, les gens font des efforts énormes pour que ça marche, alors qu'en amour, ils cessent de s'investir dès la fin de la lune de miel.

Les lois de l'attraction mutuelle, contrairement à celles de la physique, doivent être constamment cultivées. L'idée qu'il suffit de tomber fou amoureux pour vivre heureux à deux jusqu'à la fin de ses jours n'a sa place que dans les contes de fées.

En arrivant au salon de coiffure cet après-midi-là, j'étais épuisé par ma longue journée de travail. Mais après avoir pratiqué l'association libre avec Avi, je suis rentré chez moi revigoré et impatient de retrouver mes proches.

Confiance

Une autre fois, quand je suis arrivé au salon pour ma coupe de cheveux mensuelle, Avi coiffait la directrice des opérations d'une grande société de high-tech. Je l'avais déjà vue dans le quartier, mais jamais chez lui. Elle ne m'a pas vu entrer ; elle se concentrait sur ses cheveux comme elle devait se concentrer, j'imagine, sur ses tableaux Excel.

Elle posait une foule de questions auxquelles Avi répondait patiemment. À un moment, elle lui a demandé de couper un peu plus court, et il le lui a déconseillé :

— Les cheveux pèsent leur poids, ils sont soumis à la gravité ; si on enlève du poids, ils deviennent bouffants. Si je coupe encore, vous allez vous retrouver avec une tête comme ça, a-t-il expliqué en esquissant dans les airs la forme d'un gros ballon.

Un peu plus tard, en s'en allant, la femme a lâché en souriant :

— A priori j'avais un peu peur, vous savez. Mais vous avez gagné ma confiance.

Avi a souri aussi, mais d'un air un peu attristé, ce qui était plutôt rare chez lui. Et contrairement à son habitude, c'est aussi sans un mot qu'il a appliqué sa tondeuse sur ma tempe. Histoire d'entamer la conversation, j'ai enchaîné sur les propos de cette cliente :

— Comme faites-vous pour gagner la confiance des gens ?

— Je ne sais pas, a-t-il répondu en se rembrunissant. C'est drôle qu'elle ait abordé ce sujet parce que justement, il se trouve qu'avant-hier, j'ai perdu confiance en mon associé. On était très proches. Je le considérais comme un ami. Il y avait trois ans qu'on travaillait main dans la main, et il m'a laissé tomber.

Quelques minutes ont passé, meublées par John Legend chantant « All of Me ». Je ne savais pas très bien si Avi écoutait ou s'il pensait à son ami ; dans les deux cas, je préférais ne pas le déranger. Mais aussitôt la chanson finie, il a déclaré :

— La meilleure manière de gagner la confiance des autres, c'est de se fier à eux. Ce qui s'est passé avec cet ami m'attriste, mais ça ne changera pas ma façon de voir les choses. Quand j'accorde ma confiance à quelqu'un, je le fais pour lui ou pour elle, bien sûr, mais avant tout pour moi : c'est comme ça que je veux vivre et être présent dans le monde.

Il s'est tu à nouveau, puis :

— Ce n'est pas la première fois qu'on me laisse tomber, et ce ne sera sans doute pas la dernière ; mais dans l'ensemble, en faisant confiance aux gens je les incite à me faire confiance en retour.

En psychologie, on a beaucoup écrit sur la «théorie de l'équité» selon laquelle nous ressentons le besoin de restituer aux autres ce que nous recevons d'eux ; de manière générale, on se sent mal à l'aise quand on ne peut pas leur apporter en échange une chose de même valeur. C'est valable pour les objets matériels – cadeaux, argent –, mais aussi pour les sentiments : gentillesse ou... confiance. Autrement dit, la confiance engendre la confiance – enfin, la plupart du temps !

Et quand ça ne marche pas, le conseil d'Avi est de surmonter la tristesse et la déception, et de continuer à se faire confiance à soi-même, à se fier à sa propre démarche.

Père et mère honoreras

Si le téléphone sonne pendant qu'il coiffe un client, Avi ne répond pas. Quand un client entre, il l'accueille chaleureusement et lui accorde toute son attention. Pour lui comme pour tous les bons commerçants, le client est roi. Mais pas toujours... car si c'est sa mère qui appelle, alors là, il décroche tout de suite, même s'il doit faire attendre son client.

Je sortais du shampooing et Avi s'apprêtait à déployer ses talents quand tout à coup, il a justement reçu un appel de sa mère. Je n'entendais pas ce qu'elle disait, bien sûr, mais j'ai compris qu'elle s'excusait de l'appeler au travail.

— Tu sais bien que pour toi je laisse toujours tout en plan, maman.

Ils ont parlé un petit moment ; Avi ne cessait de lui tresser des louanges (« Tu es toute ma vie », « Tu es vraiment unique », etc.). Et puis, tant qu'elle l'avait au bout du fil, elle s'est dit qu'elle allait en profiter pour poser les vraies questions, les sujets importants...

— Oui maman, j'ai mangé un gros sandwich. Je m'en prépare un tous les matins avec ceux des enfants.

Il n'avait pas plus tôt reposé le combiné qu'il se tournait déjà vers une cliente qui venait d'arriver.

— Bonjour Braha, ça fait plaisir de vous voir. Excuse-moi de ne pas vous avoir dit bonjour quand vous êtes entrée mais j'avais la patronne au bout du fil, et dans ces cas-là, je me mets au garde-à-vous!

Il a souri et Braha, elle-même mère, a bien volontiers accepté ses excuses.

C'est un des Dix Commandements: «Tes père et mère honoreras afin de vivre longuement sur la Terre que le Seigneur t'a donnée.» Aujourd'hui, on a la preuve scientifique indirecte que la Bible a raison d'établir un lien entre le respect dû aux parents – ou plus généralement aux aînés –, d'une part, et la longévité de l'individu, d'autre part.

Becca Levy, de l'École de Santé publique de Yale, a montré que lorsqu'on a une vision positive du troisième âge, on vit environ sept ans de plus que les autres. Or, honorer et respecter la sagesse des anciens, qu'ils soient ou non nos parents, et prendre le temps de les écouter, de recevoir leur enseignement, c'est apprendre à les apprécier et, par extension, à apprécier la vieillesse. En général, ce respect est à la fois la cause et l'effet du regard favorable qu'on pose sur le vieillissement.

En fait, les relations entre Avi et sa mère ont des retombées bénéfiques sur ses clients: nous avons d'autant plus de chances de profiter longtemps de lui qu'il la fait passer avant tout le monde.

Avoir de la chance (et être créatif)

Parmi les gens qui m'ont dispensé l'enseignement le plus riche, au cours de mes études ou dans ma vie privée, certains m'ont donné à réfléchir parce que leurs propos n'étaient pas clairs de prime abord. Avi ne fait pas exception à la règle. Un jour, comme je m'asseyais dans mon fauteuil, les cheveux fraîchement lavés, il a déclaré:

— Je capte en permanence des messages provenant de différentes sources qui m'aident à prendre une décision ardue ou à tenir le coup dans les moments difficiles.

Intrigué par cette remarque insolite, je lui ai demandé des précisions.

— Quand on est à l'écoute – des émissions de radio, des conversations surprises au restaurant, etc. –, et quand on sait voir – les panneaux d'affichage, les autocollants à l'arrière des voitures... –, on trouve souvent l'aide dont on a besoin.

Il m'a laissé le temps de digérer ses propos, mais c'est seulement après l'avoir salué, en continuant à réfléchir, que j'ai reconstitué le puzzle.

Un psychologue britannique, Richard Wiseman, s'est mis en quête des raisons pour lesquelles certaines personnes sont considérées – y compris par elles-mêmes – comme ayant de la chance, en se plaçant d'un point de vue strictement scientifique, sans aucune considération mystique. Il a trouvé qu'une de leurs caractéristiques était de rester ouvertes aux messages venus de l'extérieur ; selon lui, elles savent créer et repérer les opportunités. Les malchanceux passent à côté d'une phrase, d'un mot à la radio, d'un indice, d'une astuce sur un panneau ; les autres en prennent bonne note et savent les mettre à profit.

De la même manière, le psychologue et médecin Edward de Bono, éminent observateur de la créativité, recommande, lorsqu'il s'agit de résoudre un problème collectivement, de prendre au hasard un mot dans le dictionnaire. Tous les mots sont porteurs de messages précieux, ou sont potentiellement à même de nous y conduire.

La vie n'a pas toujours été facile pour Avi ; comme tout le monde ou presque, il a eu sa part d'obstacles à surmonter. Pourtant, il considère qu'il a beaucoup de veine, et c'est une autre des caractéristiques relevées par Wiseman chez les chanceux : si vous vous rangez vous-même dans cette catégorie, vous augmentez la probabilité d'avoir de la chance car vos attentes deviennent des prophéties autoréalisatrices.

Pour ma part, je pense que j'ai bien de la chance de connaître Avi.

Changer

En entrant chez Avi ce jour-là, je me suis cru sur le plateau du salon de beauté dans Grease. Il y avait trois dames sur le canapé, deux en bigoudis et une avec du papier d'aluminium plein les cheveux ; une quatrième, assise dans un fauteuil – donc en quelque sorte, au centre de la « scène » – se faisait coiffer par Avi au son de « Rain », chanté par José Feliciano.

— Je repasserai, ai-je lancé, déçu, assez fort pour couvrir la musique.

Je me sentais rejeté ; la réalité n'était pas à la hauteur de mes attentes.

— Ce sera plus calme cet après-midi, a dit Avi, qui avait dû remarquer ma déconvenue : Attendez, je vais vous montrer quelque chose. Vous aurez le temps d'y réfléchir d'ici là. Tenez, a-t-il ajouté en allant chercher son téléphone à la caisse. Depuis des années, un ami m'envoie tous les matins un sujet de méditation. Voilà celui d'aujourd'hui :

La vie est faite de changements
Et dans ces cas-là, la règle du jeu change aussi.
Quand la règle du jeu change, il faut rédiger un nouveau
manuel.
Aujourd'hui, prends garde : peut-être ta vie a-t-elle changé
mais pas toi ?

Trop souvent, nous essayons de faire coïncider la réalité avec le modèle que nous en avons, en oubliant que ce devrait être l'inverse. J'ai repensé à tous les cas de figure qu'on étudie dans les écoles de commerce, toutes ces histoires de dirigeants qui échouent pour n'avoir pas su voir que le marché avait changé et qu'il fallait adopter une approche nouvelle. Celui qui est généralement considéré comme le père fondateur des méthodes managériales modernes, Peter Drucker, note que « dans les périodes de grandes perturbations telles que l'époque actuelle, le changement devient la norme ». Refuser cette norme, refuser de s'y plier, c'est courir droit à l'échec.

Mais il n'y a pas que dans les affaires qu'il faut rester ouvert au changement. Bien des couples battent de l'aile parce que l'un des deux ne veut pas reconnaître que l'autre a changé, ou ne correspond pas à sa conception du partenaire « idéal ».

La vie serait bien plus enrichissante si, au lieu de plaquer de force nos attentes sur l'avenir, sur notre entourage ou sur le monde, nous étions disposés à nous laisser « joyeusement surprendre » et étions capables d'apprécier la surprise. S'il n'y a pas de destin tout tracé, et même s'il y en a un, mais que nous n'en avons pas conscience, pourquoi se raccrocher obstinément à ses préceptes? Ceux-ci sont faits pour être adaptés selon les circonstances.

Fort heureusement, la vie se déroule parfois comme prévu et c'est ce qui s'est passé un peu plus tard cet après-midi-là : j'ai finalement eu Avi pour moi seul.

Du pied gauche

L'inconvénient, quand on fait de la psychologie positive, c'est que tout le monde veut que vous soyez heureux. J'ai beau avoir écrit un livre sur l'importance de l'échec et le caractère inévitable des affects douloureux[*], mes étudiants et même certains de mes amis me croient à l'abri des idées noires. Étiqueté « expert en bonheur », je suis censé détenir la solution à tous les problèmes psychologiques. Or, les étiquettes, c'est parfois difficile à décoller...

Ce qui me rend vraiment heureux, quand je suis avec Avi, c'est que justement, je ne suis pas obligé d'être heureux. Lui me voit tel que je suis, avec les côtés sombres. Carl Rogers, père de la thérapie dite « centrée sur le client », affirme que la « compréhension empathique » (ou faculté d'être simplement « là » pour l'autre) est la clé du processus thérapeutique. Aussi, quand j'ai débarqué au salon aujourd'hui en proie à la mélancolie

---

[*] Tal Ben-Shahar, *L'Apprentissage de l'imperfection*, Belfond, 2010 ; Pocket n° 14560.

(et ça se voyait), Avi m'a-t-il accueilli à bras ouverts, mais en se contentant d'un sourire compatissant, c'est-à-dire en observant un silence compréhensif. Je n'avais pas besoin de faire semblant ; de son côté, il se bornait à être là, avec moi.

Comme il mettait la dernière touche à ma coupe de cheveux – rectifiant les pattes, puis la nuque –, il a fini par lâcher :

— Un ami vient de me faire cadeau d'une phrase superbe : « Pour avancer, on a aussi besoin du pied gauche. »

Puis, après m'avoir prié d'écouter « Je vole », de Louane Emera, il est retourné à son silence. Quand la musique s'est tue, il m'a dit que c'était la chanson du film *La Famille Bélier*, l'histoire de cette chanteuse française et de ses parents, tous deux sourds, de même que son frère.

Pourquoi a-t-il choisi de me prescrire cette chanson et ce film précis aujourd'hui ? Je lui ai posé la question, mais en vain. Tout ce que j'ai réussi à lui faire dire, c'est :

— On en reparlera quand vous aurez vu le film. À vous de jouer !

J'ai donc regardé le film, et j'ai compris. Il parle de la richesse du silence, de la beauté de la musique, de la valeur des liens affectifs et de la douleur qui nous accompagne si souvent sur notre chemin.

Liens affectifs

Je me suis présenté tôt ce jour-là pour me faire couper les cheveux car j'avais devant moi une journée bien remplie, mais en arrivant j'ai trouvé Avi au téléphone avec sa mère. Ils ont parlé un moment des personnes qui se joindraient à eux pour souper le lendemain soir, un vendredi, puis il a raccroché non sans lui dire qu'il l'aimait.

— Vous vous parlez tous les jours ? me suis-je enquis.

— Bien sûr.

— Et vous allez souper chez elle tous les vendredis ?

— Naturellement.

Ce n'est guère surprenant ; en Israël, beaucoup de gens, jeunes ou moins jeunes, s'entretiennent tous les jours avec leur mère, et bien des familles se retrouvent le vendredi soir. Ces soupers de famille sont d'ailleurs ce que je préfère dans la vie de ce pays.

En psychologie, les recherches relèvent souvent du bon sens et sont souvent prévisibles. Par exemple, on n'a généralement pas besoin d'études scientifiques pour savoir que l'exercice physique est bénéfique, ou qu'une personne qui exprime sa gratitude accroît son bien-être. En revanche, les travaux sur le niveau de bonheur ici-ou là donnent des résultats surprenants. En tête, on trouve le Danemark, la Colombie, le Costa Rica, l'Australie et Israël. Pour le Danemark ou l'Australie, on en convient aisément ; mais la présence d'Israël ou de la Colombie suscite un haussement de sourcils. Ce sont des pays qui ont eu et ont encore de gros problèmes. Alors pourquoi ?

Les chercheurs ont obtenu une explication sans ambiguïté : l'unique point commun entre les pays les plus heureux du monde est que les gens s'y sentent très soutenus par leurs proches : ils mettent l'accent sur les relations personnelles, c'est leur priorité.

J'ai fait part de ces découvertes à Avi, qui a réagi :

— Évidemment ! Il n'y a rien, rien de plus important que la famille et les amis.

Bien des gens de par le monde approuvent sûrement cette maxime pleine de bon sens ; malheureusement, nous ne l'appliquons guère dans la vie de tous les jours... Les liens affectifs cèdent fréquemment la place aux préoccupations financières ou professionnelles. En somme, comme dirait Voltaire, « le sens commun n'est pas si commun ».

En bavardant tous les jours avec sa mère, en passant autant de temps avec elle et ses proches, Avi signifie – en paroles et en actes – que les relations avec les autres sont sa priorité. Quand il exprime un intérêt sincère pour le client qui entre chez lui, quand il se rue au secours d'un ami qui l'appelle au secours, il offre un soutien qui est l'ADN même du bonheur.

En fond passait la chanson « In A Bar », de Tango with Lions. Le client suivant est arrivé juste au moment où Avi me débarrassait de mon peignoir, constellé de cheveux noirs et blancs. Je l'ai salué et je suis parti travailler.

Résoudre les problèmes

Quand il bavarde avec ses clients, Avi fait souvent appel à des métaphores inspirées de la nature. Par exemple l'autre jour, pour expliquer à une dame entre deux âges qu'elle devait se laisser pousser les cheveux :

— Quand on veut que les pétunias fleurissent, on ne les taille pas tout le temps. Il faut d'abord laisser faire la nature ; ensuite seulement on cultive.

Pour les Grecs, l'archétype de la vie bien vécue était le jardin, qui incarnait l'unité entre nature et culture, entre état sauvage et art de cultiver. Dans l'antiquité, en effet, on devait se donner pour idéal de célébrer la nature humaine et d'employer ses capacités à développer et améliorer les choses.

Dès le départ de la dame – désormais en fleur –, Avi a entrepris de « cultiver » mes cheveux à moi, et mon esprit par la même occasion.

— La vie m'a encore une fois donné une leçon, cette semaine, a-t-il entonné comme pour enchaîner sur la discussion précédente.

— Ah oui ? Laquelle ? me suis-je empressé de demander.

— Elle m'a rappelé que bien souvent, le meilleur moyen de résoudre les problèmes, c'est de ne rien faire.

Il s'est concentré quelques secondes sur mes pattes, puis :

— En général, quand on a un problème on cherche la solution jusqu'à l'obsession. C'est parfois salutaire, mais le plus souvent, si on laisse la nature suivre son cours il se résout tout seul, ou bien la solution nous saute aux yeux.

Il s'est tu et mes pensées se sont tournées vers ce qui me préoccupait continuellement depuis une semaine, à savoir les commentaires cinglants reçus de mon éditeur, en qui j'ai pleinement confiance, à propos du manuscrit que je lui avais fait parvenir. Depuis que je les avais lus, je retravaillais sans cesse mon texte, en m'efforçant d'améliorer ce qui n'allait pas, tout en ayant l'impression de ne faire aucun progrès. Fallait-il tout reprendre à zéro, rafistoler cette version ? Me résoudre à confier le sujet à mes coauteurs ? Je n'en sortais pas.

Conséquence de la présence discrète d'Avi, qui ne disait toujours rien, j'ai résolu de mettre mon manuscrit de côté quelque temps. Je savais les propos du coiffeur étayés par d'abondantes recherches dans le domaine de l'innovation : pour trouver des solutions créatives, on a intérêt à lâcher prise, à se donner du temps et de l'espace, si l'on veut s'aventurer en dehors des sentiers battus.

Alors en rentrant chez moi, j'ai allumé mon ordinateur et, au lieu de me remettre à travailler, j'ai entamé un nouveau chapitre du recueil de mes conversations avec un certain coiffeur...

Rêver

Les murs du salon d'Avi arborent sur fond blanc les paroles d'«Imagine», la chanson de John Lennon. Comme l'ex-Beatle, mon coiffeur est un rêveur.

— Tous les matins au réveil je me dis que j'ai vraiment de la chance, m'a-t-il révélé un jour. Vous vous rendez compte? Tous les soirs des milliers de gens s'endorment sans savoir qu'ils ne se réveilleront pas. Ils ne courront plus jamais après leurs rêves... Pire, ils ne pourront plus rêver.

Avi évoquait là deux phénomènes associés: pour être heureux, pour s'épanouir dans la vie, il est aussi déterminant d'avoir des rêves que de chercher à les réaliser. Premièrement, par cette démarche active, cette volonté d'aborder frontalement sa vocation, on s'assure une saine estime de soi, un des éléments clés du bonheur. Ensuite, le fait d'aspirer à atteindre un but est un puissant antidote à la dépression et à la tristesse en général. De fait, la différence essentielle entre l'affliction (que nous ressentons tous passagèrement) et la dépression (une maladie dont seules certaines personnes sont atteintes), c'est que la seconde est égale à la première moins l'espoir. Or, le rêve est la substance même de l'espoir.

J'ai trouvé intéressant et révélateur qu'Avi ne me dise pas à quel point il est important de réaliser ses rêves. En avoir augmente le pourcentage de réussite : on a plus de chances d'atteindre son but si on s'imagine en train d'arriver. Mais pour le bonheur à long terme, comme le montre bien Daniel Gilbert, psychologue à Harvard, la matérialisation de nos rêves compte moins que le simple fait d'en avoir et de les poursuivre.

Et pour cela, on n'a pas besoin d'être bourré de talent ni d'obtenir des succès retentissants. Il suffit de se réveiller le matin... et de savourer sa capacité de rêver.

Mains en or et voie médiane

Avi n'est pas seulement une inépuisable fontaine de sagesse – c'est aussi un excellent coiffeur. Ses clients, y compris moi, disent qu'il a des mains en or : il sait donner à David des airs de Ronaldo pendant la Coupe du Monde, et à telle ou telle dame un petit côté Grace Kelly pour le mariage de sa fille. Fort de cet immense savoir-faire, combiné à un sens des affaires très sûr, il aurait pu s'agrandir.

Je lui ai donc demandé un jour pourquoi il n'avait pas cherché à accroître sa clientèle en déménageant dans des locaux plus spacieux et mieux situés, voire en ouvrant des succursales. Il m'a répondu qu'il y avait pensé plus d'une fois... et préféré s'abstenir.

– Je me suis posé la question : est-ce mon envie à moi ou une attente de mon entourage ?

Il m'a expliqué le lien entre pouvoir et devoir qui imprègne si profondément nos sociétés actuelles – on a tendance à croire que si on peut prendre de l'envergure, alors on doit le faire. Mais pourquoi ?

— Quand je mange, je n'ai besoin que d'un seul couteau et d'une seule fourchette. Je connais des tas de gens à qui l'idée de s'agrandir plaît pour un tas de bonnes raisons – c'est un défi à relever, ou alors ça les amuse ; en tout cas ça leur fait du bien. Dans mon cas, ça ne marche pas comme ça.

Et de citer Moïse Maïmonide, un penseur juif du XIIe siècle : « L'homme quitte ce monde sans avoir pu satisfaire la moitié de ses désirs.» Une dizaine d'années plus tôt, Avi avait compris une chose : à mesure qu'il accumulerait des biens matériels – une maison encore plus grande, une voiture encore plus rapide, un compte en banque encore mieux garni –, il aspirerait toujours à en acquérir davantage. Il avait donc le choix : accepter ce stress permanent tout en sachant que ses désirs ne seraient jamais comblés, ou abandonner la course et se satisfaire de ce qu'il avait. Il m'a alors cité une autre source de sagesse juive, les « Chapitres des Pères » : « Il est riche celui qui est content de son sort.»

— Je ne dis pas que je veux revenir au dénuement total. Juste que je suis déjà content de m'en sortir aussi bien. Quand j'étais petit, à Jaffa, il y avait un dicton : « Les riches ont des problèmes, les pauvres n'ont que des soucis.» Évidemment, je n'ai pas envie d'être pauvre ; mais d'un autre côté, je n'ai certainement pas besoin d'être riche.

Ce principe directeur, qu'il avait suivi toute sa vie, est aussi le fondement de toute la morale aristotélicienne. Pour le Grec – qui a d'ailleurs considérablement influencé Maïmonide – il convient de chercher la « voie médiane», le juste milieu entre excès et insuffisance, entre trop et trop peu.

En fond, Enrique Iglesias chantait «Bailando», et tout en me coupant les cheveux, Avi fredonnait la mélodie. Tout était bien.

Ralentir l'allure

Avi a coutume d'inciter ses clients à lever le pied.
— Qu'est-ce qu'il y a de si pressé ? leur demande-t-il
quand ils passent la tête par la porte du salon, constatent
qu'il y a du monde et annoncent qu'ils repasseront plus
tard. Venez donc vous asseoir un peu avec nous !

Cette réaction me rappelle les bouddhistes, qui
insistent sur la position assise lors de ce qu'on appelle
justement des... séances de méditation. D'ailleurs, le
calme qui m'envahit quand je m'assieds un moment près
d'Avi ressemble à ce que je ressens après avoir médité ou
pris un cours de yoga.

Constatant qu'alors certains clients entrent bel
et bien, comme ils y sont invités, je me suis dit que les
salons de coiffure étaient un terreau fertile où pouvait
pousser une révolution contre-culturelle. Actuellement,
la société est ivre de vitesse – fast food, voitures rapides,
réparations minute, pour ne rien dire des relations
sexuelles ; l'impact, la gratification doivent être immé-
diats. L'unité de mesure est la nanoseconde et la réussite

ne se mesure plus au revenu annuel mais trimestriel. Pourtant, cette accélération exponentielle fait que de plus en plus de gens restent sur le bord de la route, malheureux et frustrés.

Dans ce contexte, les salons de coiffure représentent un antidote à la vitesse généralisée. Attendre son tour, patienter pendant le shampooing, la coupe, le coup de peigne final, patienter encore quand on veut se faire friser ou défriser... tout cela prend du temps. Certains ne le supportent pas – ils ont l'impression de le perdre ; mais d'autres profitent de ces îlots de tranquillité pour se détendre au milieu de gens sympathiques, et pour goûter justement le fait de ne pas être pressés !

Dans son *Éloge de la lenteur*, Carl Honoré montre bien à quel point il est important de prendre son temps, que ce soit pour préparer à manger, faire l'amour ou discuter. Feu Philip Stone, qui fut mon professeur de psychologie à Harvard, insistait sur la distinction entre être et faire : dans les sociétés actuelles (surtout occidentales), l'obsession de faire nous empêche de savourer les fruits de l'être. La romancière britannique George Eliot, de son vrai nom Mary Anne Evans, nous exhortait déjà à ralentir : «Les instants d'or pur du torrent de la vie filent sous nos yeux et nous n'y voyons que du sable ; les anges viennent nous rendre visite et nous les reconnaissons seulement quand ils sont repartis.»

Nous sommes en train de perdre la faculté de faire halte et de patienter ; nous devons donc la renforcer en l'exerçant plus souvent. Comme on va au gymnase raffermir ses muscles, on peut profiter du salon de coiffure pour renforcer les «muscles de la lenteur»; ainsi nous verrons mieux la beauté qui gît en nous et hors de nous, et nous pourrons nous en délecter à loisir.

Authenticité

Ayant remarqué qu'Avi était absent depuis plusieurs jours, j'ai interrogé Karin : il était en Italie et en Hollande pour affaires et serait de retour la semaine suivante. Je l'ai remerciée et j'en ai profité pour prendre rendez-vous deux ou trois jours après le retour de mon ami – il serait plus que temps de me faire couper les cheveux.

— Alors, les affaires, ça marche ? me suis-je enquis une fois sur place.

— Oui, très bien. Ce matin j'avais une réunion avec des investisseurs potentiels. (Qui s'avéreraient être les leaders du marché israélien en matière de produits capillaires !)

— Comment ça s'est passé ?

— Super ! Ils sont intéressés par un partenariat.

— Vous n'allez pas quitter le salon au moins ? ai-je voulu savoir en m'efforçant de dissimuler la crainte qu'il m'abandonne.

— Jamais de la vie, même si je réussissais au-delà de toutes mes espérances. Je préfère ce que je fais ici à mes autres activités professionnelles. Ça m'aide à garder les pieds sur terre.

— Comment ça?

— Eh bien par exemple, ce matin je me suis entretenu avec de hauts dirigeants dans un immense et luxueux bureau au quarante-cinquième étage d'une tour. Mais une heure plus tard j'étais ici, dans mon petit salon en rez-de-chaussée, à couper les cheveux d'un gamin de huit ans. Et c'est ça que j'aime.

Je lui ai demandé de me détailler ce qui lui plaisait tout particulièrement dans ce contraste.

— Il est facile de tomber dans le piège, de se laisser influencer par le contexte au lieu de se rappeler constamment qui on est, indépendamment de lui. Il faut être soi-même, authentique.

J'ai repensé à la chanson «Runnin'», de Naughty Boy & Beyoncé, que j'avais découverte dans son salon: «Je ne fuirai plus ce que je suis, je suis prêt (e) à faire face; si je me perds moi, je perds tout.»

Être authentique, être soi, ne pas se «perdre», voilà une qualité qui prend tout son sens dans le domaine du management. Pour Bill George, qui enseigne à la Harvard Business School mais fut aussi un des dirigeants d'entreprise les plus célébrés du xxᵉ siècle, l'authenticité est la marque des grands dirigeants. Avi n'est peut-être pas connu dans le monde entier, il n'a pas remporté d'éclatants succès, mais il a cette caractéristique en commun avec les meilleurs d'entre eux. Nul doute qu'ils s'adaptent en fonction de la situation et adaptent leur style ou leur approche à leur interlocuteur ; mais à la base, ils restent fidèles à ce qu'ils sont. Avi ne s'adresse pas de la même façon aux investisseurs aguerris et aux petits garçons qui viennent se faire couper les cheveux chez lui, mais au fond de son cœur, il reste le même homme bon, honnête et humble.

Au-delà du professionnalisme, c'est son authenticité qui fait de lui le meilleur des coiffeurs, qu'on ait huit ou quarante-cinq ans.

Faire une pause

Je préfère aller chez Avi le matin. Il y a moins de monde, donc je peux passer plus de temps avec lui. En cette glaciale matinée de janvier, il m'a accueilli – comme souvent – avec la chanson du jour, celle qui, pour le citer, allait le « faire voyager ». Cette fois c'était le chanteur israélien Idan Raichel qui nous sommait de passer à l'acte : « Se lever le matin/Pour explorer la vie/Essayer un peu tout, avant que ça ne s'arrête. »

Avi m'a annoncé qu'il prenait des congés, histoire de pouvoir lire, écouter de la musique, voyager. Il a coutume de fermer boutique une semaine ou un mois pour découvrir une destination nouvelle. Il n'ignore pas que cette pratique est mauvaise pour le commerce ; outre le fait que pendant ce temps-là, il ne gagne pas sa vie, il risque de perdre de la clientèle. Mais il sait aussi qu'il y a plus important que les affaires dans la vie.

Il se pose souvent la question : « Que ferais-je s'il ne me restait qu'une semaine à vivre ? » De mon côté, on me l'a posée maintes fois, au cours de mes séminaires d'épanouissement personnel, par exemple ; mais venant d'Avi, elle a, me semble-t-il, davantage de poids. Je le connais assez bien, à présent, pour savoir qu'elle n'est pas purement théorique ; il connaît la réponse et entend bien la mettre en application.

J'ai lu récemment un roman d'Irvin Yalom, psychiatre attaché à l'université de Stanford, intitulé *The Schopenhauer Cure* : un psychanalyste apprend qu'il ne lui reste qu'un an à vivre. Les réflexions d'Avi sur le sujet m'y ont beaucoup fait penser. Il dit que de toute façon la vie est courte, qu'on ait une semaine ou cinquante ans devant soi, et qu'à un moment donné elle s'achève. Alors pourquoi attendre ?

— Qui plus est, ajoute-t-il, même si je vis cent ans, je n'ai pas envie de découvrir la Grande Muraille de Chine en voiturette de golf ; je préfère grimper les escaliers quatre à quatre.

Une pratique bouddhiste que j'ai toujours trouvée un peu extrême, bien qu'intéressante, consiste à méditer dans un cimetière, le but étant de focaliser l'attention sur le caractère éphémère du réel, donc sur les choses qui comptent vraiment. Je doute qu'Avi ait jamais pris place entre deux tombes dans la position du lotus ; il n'a pas besoin que les morts lui rappellent qu'il est en vie.

— À bientôt, je m'envole demain pour Londres, lui ai-je dit avant de le remercier.

Souriant, il m'a souhaité un excellent voyage.

Les mots

J'ai un rituel sacré qui consiste à toujours me faire couper les cheveux avant d'être filmé ou de donner une conférence importante. Ce matin-là – il faisait inhabituellement doux pour une journée d'hiver –, je me suis présenté vers neuf heures au salon d'Avi. Je devais être à dix heures dans les locaux de Happier TV*, que j'ai récemment créée, pour passer devant la caméra. Assis dans mon fauteuil, je me repassais mentalement le déroulé de l'émission. Voyant bien que j'avais besoin de silence, Avi ne m'a pas dérangé. Le chanteur Shlomo Artzi emplissait le salon de paroles séductrices prononcées par l'amante d'un ami jamais revenu de la guerre. Puis ce fut Nouvelle Vague avec une chanson où il était question du silence, des mots, des grandes choses et des petits riens.

Au bout de quelques chansons, Avi en ayant fini avec moi, j'ai réglé ce que je devais et je me suis préparé

---

* *Happier* est aussi le titre original de l'ouvrage de Tal Ben-Shahar intitulé *L'Apprentissage du bonheur*, Belfond, 2008 ; Pocket n° 13768. (N.d.T.)

à prendre congé. Mais à la caisse, mon regard est tombé sur une carte de visite agrémentée d'une citation du rabbin Abraham Kook, un des grands érudits juifs du xxᵉ siècle. Cela disait : « Le bonheur se fonde sur l'amour de la vérité dans les choses de l'esprit, de l'honnêteté dans les choses de la vie, de la beauté dans les choses de l'émotion et du bien dans celles des actes. » Au verso, le nom d'Avi Peretz et, au-dessous, un numéro de téléphone.

— Jolie citation, fis-je. Je peux en prendre une ?

— Mais certainement. Je les ai fait faire la semaine dernière. Tenez, prenez aussi l'ancienne. La citation n'est pas mal non plus.

Il me l'a tendue avec mille précautions, comme si c'était un trésor aussi rare que précieux. J'y ai lu une phrase du Dalaï-Lama : « L'homme sacrifie sa santé pour l'argent, puis sacrifie son argent pour recouvrer la santé. Trop inquiet de son avenir pour profiter du présent, il ne savoure ni l'un ni l'autre. Il vit comme s'il était immortel et meurt comme s'il n'avait jamais vécu. »

Avi ne manquait jamais une occasion de répandre la bonne parole autour de lui – qu'il en soit l'auteur ou pas –, même quand le client, moi ou un autre, n'était pas d'humeur à bavarder. Avant de partir, je l'ai remercié ; il m'a répondu à sa manière habituelle :

— Ça vient du cœur.

Échouer sans risque

En tant que psychologue social, je me pose souvent la question de savoir ce qui rend tel ou tel milieu propice à l'apprentissage et l'évolution personnels. Autrement dit, qu'est-ce qui, dans un contexte social précis, fait ressortir le meilleur de nous-mêmes ? Une interrogation qui s'applique également au salon d'Avi. Au-delà des commentaires éclairés de son propriétaire, il doit s'y produire un phénomène qui fait que nous, ses clients, en ressortons non seulement mieux coiffés mais plus sages. Comme souvent, il m'a lui-même fourni la réponse à travers une anecdote personnelle. Cette fois-ci c'était à propos de son fils.

Agam sortait d'une semaine difficile à l'école ; il avait eu une mauvaise note à un devoir et un professeur le lui avait reproché.

— Il était tout perturbé... Je l'ai laissé se défouler un peu, puis je lui ai posé une question simple : savait-il plus de choses qu'avant cette semaine pénible ? Il m'a fait signe que oui. « Alors tout est bien qui finit bien, non?», lui ai-je demandé. Son visage s'est éclairé et il m'a souri.

Il y a une phrase que je répète sans relâche – pour moi-même, pour mes étudiants ou pour mes clients : «Pour ne pas échouer à apprendre, il faut apprendre à échouer.» L'échec, l'erreur, la déception sont des composantes incontournables du processus d'apprentissage; pour réussir, et pour être heureux, il est indispensable d'accepter pleinement le fiasco.

Constatant le rôle important que jouent l'échec et ses enseignements nécessaires dans la réussite d'une organisation, Amy Edmondson, professeur à Harvard, a étudié le sentiment de sécurité d'un point de vue psychologique, pour parvenir à la définition suivante : «Certitude, partagée par tous les membres de l'équipe, que celle-ci représente un filet de sécurité vis-à-vis de la prise de risque relationnelle.» Dans un environnement psychologiquement rassurant, on est davantage porté à la franchise, la confidence, la mutualisation des leçons tirées de l'échec.

Tandis qu'Avi me rapportait sa réaction par rapport à son fils, j'ai compris que c'est justement le type d'environnement qu'il a l'art de créer au bénéfice de son entourage – ses enfants comme ses clients. Quand on sait qu'on ne risque rien, absolument rien à se montrer vulnérable, à parler de ses problèmes, au lieu de fuir l'échec et la critique, on s'ouvre pleinement à la possibilité d'acquérir des savoirs et d'évoluer. Dans un milieu psychologiquement sûr, on peut transformer sa peur de l'échec en amour de l'apprentissage, un psychisme brisé en personnalité conquérante, un air soucieux en sourire.

Je suis ressorti de chez Avi porteur d'une inspiration nouvelle : comment recréer ailleurs ce genre de contexte rassurant ? Comment fournir à mes enfants, mes étudiants, mes collègues de travail, un environnement où ils puissent sans risque commettre des erreurs, échouer, et en tirer joyeusement les leçons ?

Dieu

La variété des sujets abordés quotidiennement au salon ne laisse pas de m'émerveiller. Chacun, client ou visiteur, y apporte le sien, et Avi suit le mouvement, soit en y allant de son commentaire plein d'esprit, soit en gardant un silence sagace. Quand je suis arrivé cet après-midi-là, la conversation tournait autour des travaux de rénovation à la synagogue du voisinage.

J'ai appris ainsi que le rabbin s'efforçait d'attirer davantage de fidèles. Un monsieur âgé qui n'était pas là pour se faire couper les cheveux mais pour faire... salon sur le canapé d'Avi, a constaté que la jeune génération n'allait plus à la synagogue :

— Même ceux qui sont religieux se contentent de télécharger une application. C'est comme ça qu'ils font la prière. En fait, a-t-il renchéri en se tournant vers Avi, ou plutôt son reflet dans la glace, je viens d'en télécharger une moi-même et c'est pas mal du tout. Vous voulez que je vous l'installe ?

Pour toute réponse, Avi a posé ses ciseaux et lui a fait signe de le suivre. Ils ont franchi la porte vitrée et, une fois dehors, le coiffeur a pointé l'index vers le ciel.

— Je n'ai pas besoin d'application pour prier ni d'aucun autre intermédiaire, d'ailleurs. J'ai une connexion directe.

Cela m'a rappelé Ralph Emerson et son Discours aux étudiants en théologie de Harvard. Prononcé en 1838, il lui valut d'être exclu de l'Église car il y affirmait qu'il n'était point besoin d'intermédiaires pour converser avec Dieu, car l'homme avait directement accès au divin.

Avi est quelqu'un de très direct, dans sa façon de dire les choses comme dans sa manière d'aborder la vie. Il est, par exemple, perturbé par le fait que les enfants passent des heures à jouer à des jeux vidéo et non au bac à sable, ou que les gens préfèrent regarder des courses-poursuites à la télé plutôt que le soleil couchant sur la mer, et qu'ils échangent avec leurs amis sur Facebook et non dans la vraie vie. C'est un fervent défenseur du «moins de technologie, plus de réalité» qui recherche le contact direct avec les gens, avec Mère Nature et avec Dieu.

La journée était ensoleillée; en rentrant chez moi à pied, j'ai pris conscience du gazouillis des oiseaux qui conversaient avec passion, des arbres qui commençaient à bourgeonner et de l'immensité du ciel bleu. Je me sentais divinement bien.

Passer le relais

Comme je l'ai dit, si je couche sur le papier les enseignements d'Avi depuis deux ans, c'est entre autres pour transmettre sa philosophie de la vie à ceux qui n'ont pas la chance d'être ses clients – ou ses disciples. Et s'il n'est pas au courant de ma démarche, et ne m'a donc pas donné son accord, je ne doute pas qu'il l'approuvera. En effet, il y verra certainement un passage de relais, et c'est une chose qui compte beaucoup pour lui.

Il y a peu, une adolescente est venue solliciter sa contribution à son projet : faire sérigraphier 32 T-shirts pour les membres de son camp de vacances ; en contrepartie, il pourrait y faire la publicité de son salon. Avi a accepté... à deux conditions. Premièrement, il a demandé à ce qu'à la place du nom de sa société, on imprime sur le T-shirt le dessin d'un visage amusant, qui fasse rire les gens. Ensuite, il fallait que les jeunes campeuses « paient » leur T-shirt en commettant une bonne action anonyme.

L'impact de ce geste généreux se propage bien au-delà du salon. En effet, chaque fois qu'une personne rit ou sourit en voyant le T-shirt, elle sécrète des molécules qui lui procurent une réelle sensation de bien-être. Et en demandant à ces jeunes filles de faire le bien autour d'elles, Avi répand non seulement la bonté mais aussi le bonheur et la bonne santé.

La psychologue Sonja Lyubomirsky montre que l'acte de donner élève le taux de bien-être psychologique, mais aussi physique, de celui qui donne.

Le film *Un monde meilleur (Pay It Forward)*, par exemple, souligne le caractère exponentiel de l'interaction entre les êtres et de la générosité dont nous sommes théoriquement capables. Décidé à changer le monde, le personnage principal commet trois actes de générosité en demandant chaque fois au bénéficiaire de faire de même avec trois autres personnes, en priant celles-ci de reproduire l'expérience, et ainsi de suite. Si bien que les trois bénéficiaires de départ rendent service à neuf personnes, qui en aident vingt-sept, qui en aident quatre-vingt-une, etc.: en vingt et une étapes, la totalité des habitants de la planète peut recevoir de l'aide.

Ce qu'il y a de bien avec la générosité, c'est que je suis plus enclin à faire preuve de bonté envers les autres si on vient justement de se montrer généreux avec moi. Elle est hautement contagieuse! Et on peut en dire autant de la sagesse d'Avi.

Grands et petits cadeaux

Nous sommes le 14 mars 2016. Il s'est écoulé exactement deux ans depuis que j'ai commencé ce livre. Or, il y a quelques mois, j'ai décidé que ce jour-là, je révélerais enfin mon projet à Avi, avant de lui demander sa permission de le publier. Après tout, il en est plus l'auteur que moi... Et si vous lisez ces lignes, c'est qu'il a donné son consentement.

Je l'ai appelé vers dix heures du matin.

— Comment allez-vous?

— Très très bien, m'a-t-il répondu.

— Je peux passer vous voir? Pas pour me faire coiffer, juste pour vous parler de quelque chose. Ça me prendra deux minutes.

— Bien sûr, quand vous voulez.

Nous avons décidé de nous retrouver à midi, et aussitôt le téléphone raccroché je me suis rué sur mon ordinateur pour imprimer le manuscrit.

En approchant du salon, je l'ai vu qui prenait le soleil assis sur son pas de porte, avec son teint hâlé et ce bras si musclé qu'il semblait soutenir la table plutôt qu'être soutenu par elle. L'enthousiasme que je ressentais invariablement en me rendant chez lui a tout à coup cédé la place à l'anxiété. Allait-il apprécier ce que j'avais écrit ? Les choses allaient-elles changer entre nous, et si oui de quelle manière ?

Il m'a accueilli avec son sourire habituel – le sourire simple et sincère qui m'était cher et que je ne voulais surtout pas perdre. La bouche sèche, j'ai essayé de sourire en retour, mais c'est d'une voix tremblante que je l'ai salué. Puis j'ai pris place face à lui et, mal à l'aise, j'ai posé à mon tour un coude sur la table.

— Qu'est-ce qui se passe, mon ami ? s'est-il enquis.

M'étant répété cent fois ce que j'allais dire, je me suis jeté à l'eau :

— Voilà. Il y a deux ans j'ai eu envie d'écrire un livre sur toutes les choses que vous nous dites, à moi et aux autres – ces phrases qui m'ont aidé, qui ont changé tant de choses dans ma vie.

Il n'a pas répondu tout de suite. Son sourire s'est effacé. Comme j'avais du mal à interpréter sa réaction, j'ai enchaîné : à chacune de mes visites il avait fait ou dit quelque chose qui résonnait en moi ; alors, en rentrant, je l'avais mise par écrit. Puis j'ai sorti le manuscrit de ma sacoche et je le lui ai tendu, en précisant que bien sûr, je ne le ferais publier qu'avec son accord.

Ma liasse de feuillets chahutés par le vent me parut bien légère dans sa main tandis qu'il la parcourait rapidement. Au bout de quelques secondes, il a dit :

— Dites donc, ça a l'air drôlement bien. J'ai hâte de m'y plonger. Justement, je pars en Italie demain ; je l'emporte !

Un client l'attendait. Il s'est levé et, avant de rentrer, m'a adressé son sourire coutumier avant de me serrer dans ses bras. Mes dernières appréhensions se sont envolées d'un coup.

Le lendemain, en allant à l'aéroport, Avi m'a envoyé un message WhatsApp pour me remercier, en qualifiant le manuscrit de « cadeau précieux ». Pour inverser les rôles, cette fois c'est moi qui l'ai prié d'écouter les paroles d'une chanson. Celle-ci évoque en hébreu les « petits cadeaux » qu'on se transmet de génération en génération, impressions et réflexions, souvenirs et mélodies qui, ensemble, nous aident à trouver la sérénité, à consentir, au milieu des inévitables tempêtes et contrariétés de la vie.

Le refrain s'achève sur ces mots : « Que demander de plus ? »

Table des matières